Vous prendrez bien
une tasse de thé?

Claude Keller

Vous prendrez bien une tasse de thé ?

roman

PLON
www.plon.fr

Pour Régine, Jean-Baptiste et Lisa.

Prélude

Ce jour-là, pour la première fois depuis longtemps, Sigmund Freud réussit à se lever. Sensation déplaisante en posant les pieds sur le tapis : perte d'équilibre, vertige, impression de flotter dans son costume de mariage, Seigneur ! Que faisait-il couché dans ce truc ? Avait-il perdu la tête et passé la nuit dans les bras de Mme Alzheimer ?

Certainement pas, il vérifia, il n'y avait personne dans le lit.

Il ne perdit pas de temps à se poser d'autres questions, il était déjà en retard. Pour aggraver les choses il remarqua que sa montre était arrêtée. Il trouva cela curieux.

Après quelques erreurs dans les différentes activités domestiques dont il n'avait plus l'habitude, il réussit à retrouver quelques automatismes. La gestion du percolateur se révéla vite impossible. Il renonça et se prépara une tasse de thé qu'il oublia d'ailleurs de boire.

Il eut moins de mal avec le rasoir électrique qu'il maîtrisa assez rapidement.

Il décida de s'habiller avec soin. La situation l'exigeait, n'est-ce pas ? Il essaya quelques costumes, les trouva tous sombres et tristes, empestant l'antimite. Un ensemble blanc, chapeau assorti, lui parut plus réjouissant. C'est moi qui ai acheté ça ? se demanda-t-il. Pour un voyage en Égypte, non ? Il ne se souvenait pas.

Il enfila le costume blanc en réalisant qu'on était en hiver, mais peu importe, se dit-il, j'ai le droit de porter la tenue que je veux, non ?

Il ricana en se passant un petit coup de brosse dans sa barbe. Quelques gouttes d'eau de Cologne à la lavande pour aplatir ses cheveux et il se sentit prêt. À quoi exactement, il n'en savait rien. Prêt, c'était tout.

1

C'est lundi matin et Dora a les yeux dans le vague. Salle 103. Lycée du Parc, classe de première ES. Mme Pichon, économie. Des graphiques, des camemberts en couleur sur le tableau : le tertiaire dans la Communauté européenne. Depuis trois mois, cinq heures par semaine, géant de rester éveillée plus de dix minutes. La Piche débite son cours de sa voix monotone.

Dora écoute de loin, elle attrape une phrase sur dix «... délocalisation progressive des services... L'Inde s'est adaptée en quelques années et fournit aujourd'hui une alternative...» Une alternative? Va pour l'alternative, pourquoi pas? Une fraction de son esprit est restée là, il le faut bien, le reste est parti. Son corps aussi aimerait bien abandonner cette chaise dure qui lui scie les fesses. Partir, s'envoler à travers la fenêtre, filer au-dessus des toits avec une cape genre les ailes de la fameuse déesse du dessin animé. Comment elle s'appelait, déjà?

À côté d'elle Audrey écrit consciencieusement. Elle gratte le cours comme si sa vie en dépendait, à l'encre verte, s'il vous plaît. Dora ne l'aime pas trop. Elle la trouve polarde, incapable de parler d'autre chose que de son but magnifique et ultime, intégrer HEC. Une fin en soi, une vocation, son étoile du Berger. Elle rabâche ça au foyer à qui veut l'entendre. Dora l'évite mais Audrey a fait une fixation sur elle. À cause de papa, je parie. Le genre de fille qui drague le père des copines, il y en a. M'étonnerait que papa...

Quoique... Audrey a des gros seins. Ça joue, les gros seins, les mâles aiment en avoir plein les mains, il n'y a qu'à entendre parler les mecs de la classe. Papa, non. Je suis sûre que non. Mais comment être sûre d'une chose pareille ?

Audrey passe son temps à délirer sur HEC, sur sa future carrière, tout ça. Et toi, ça te dit pas ? On est pareilles, genre, comme deux sœurs. Dans tes rêves. Dès le début de l'année, elle est parvenue à s'asseoir à côté d'elle en éco, et, c'est comme partout, au bout de trois fois, les gens gardent leur place. Dora s'y est habituée et cela n'a pas que des inconvénients. Les cours d'Audrey sont bien pris, refaits à la maison avec le grand frère qui vient d'intégrer une Sup de Co.

On se débrouille, on assure la survie. Pour ce que ça sert... Les dernières notes de Dora ont été une calamité. Suppression des sorties, a dit son père. Oui, a fait maman. Mais personne n'est là pour faire appliquer la sentence. Les parents sont nuls.

« ... l'harmonisation des normes comptables, problème majeur au programme des futures négociations de l'OMC... » Sûrement, pense Dora, c'est un problème majeur, ça. Moins majeur que de savoir s'il sera devant la porte du lycée à midi. Samedi, il le lui a promis, mais, entre ses promesses et ses actes, il y a le Grand Canyon. Espère, ma vieille. Oui, j'espère, j'ai trop envie de le voir.

Le murmure de la Piche flotte autour de ses oreilles, ce qui ne serait pas si désagréable s'il n'y avait pas la menace du prochain contrôle. Lundi. Faudra s'y coller le week-end. Un élève averti est prévenu. Dora sourit un peu malgré elle, c'est la blague récurrente du prof d'EPS, il n'en connaît qu'une. Au moins, avec lui, il n'y a pas à réviser des heures. Le plus important est de prévoir la bonne tenue le bon jour, parce que monter à la corde avec un mini-short, quand il y a vingt paires d'yeux fixées sur vous. Sur votre... Et Dora a du mal avec cette idée. Avec tout ce qui tourne autour de cette idée.

Mauvais plan, ce contrôle. À côté d'elle, Audrey écrit toujours. Un petit bout de langue sort entre ses lèvres et s'agite, témoin de sa concentration. C'est le mot langue qui l'arrête. Qui la fait rougir et baisser la tête sur son classeur. Dora se revoit. La soirée organisée par Bab, champagne et vodka, délire mortel, trop mortel. Le dernier samedi de septembre, pour bien commencer l'année, elle avait dit en lançant l'invitation.

Il fallait bien commencer tout court. La première fois que Ben lui a glissé la langue dans la bouche, elle a failli vomir. Après, elle s'est habituée, mais elle ne s'attendait pas à ça. C'était à cause de l'alcool, non ? Elle ne s'était pas rendu compte, elle avait bu seulement deux verres, mais des tassés servis par Bab qui aime faire boire son monde. Bab a deux ans de plus qu'elle, c'est la plus grande fêtarde de la classe. Elle est connue dans tout le lycée. Elle redouble sa première, en fait. Elle couche et tout, même avec des vieux, ce n'est un mystère pour personne. Audrey, sûrement pas. Les hautes études la surveillent de près.

« ... l'effet pervers de la mondialisation, Internet avec l'ubiquité des contacts, les échanges en temps réel... » Internet, oui. Faudra que je regarde mes mails en rentrant. Puis Dora se ravise. Ben n'a pas d'ordinateur, il se fout complètement des nouvelles technologies, comme on dit à la télé pour faire flipper les vieux. Déjà qu'il ne téléphone jamais. Pour son anniversaire, avec l'argent que m'a donné Mamie, je lui offre un portable. Un truc à carte prépayée. Il va me le jeter à la figure, à tous les coups, mais je m'en fous. Je pourrai au moins lui envoyer des SMS. Il risque de ne pas aimer. Sûr qu'il ne va pas aimer.

En fait, ce n'était pas l'alcool. C'était la surprise. C'était la première fois qu'elle embrassait un garçon. On m'en avait bien parlé, mais la théorie, c'est la théorie, et la pratique, ça surprend. Bon, il paraît que je suis super en retard sur ce plan, c'est Bab qui m'a dit ça. Tu parles, ce n'est pas parce qu'elle s'envoie en l'air avec n'importe qui qu'elle doit imposer sa norme. Sa norme, tout à fait. Elle est cool, Bab, mais aussi un peu lourde à vouloir que tout le monde fasse comme elle. Ce n'était pas l'alcool. Et puis, la vodka, je ne cours pas après. Le champagne, oui. Les bulles qui vous picotent la langue... Heu, oui... La langue, heu... C'est super.

Dora a quinze ans. Elle est du mois de décembre. Quinze ans. De loin, c'est une gamine tout en jambes, mince comme un tournevis, sans fesses ni poitrine, une fille qui s'habille large pour cacher qu'elle ne pèse pas bien lourd. Elle a les cheveux courts depuis l'été, il a fallu qu'elle se batte avec sa mère pour avoir le droit de se les faire couper. Sa mère a finalement accepté. Dans le salon de coiffure du Grand Théâtre, alors. Entourée d'un tas de chanteuses un peu rombières qui tripotaient leur collier par-dessus la serviette. Dora avait passé l'heure la plus difficile de sa vie en attendant que Sergio ait fini de lui tourner autour en agitant ses ciseaux avec une moue de caniche. Lui aussi tirait la langue, Dora avait trouvé ce type complètement nul. Il avait une haleine de chien et les yeux jaunes. Le pire, c'était sa mère qui se levait toutes les trois minutes pour vérifier qu'il n'en coupait pas trop. Un moment elle a même failli pleurer. Pour des cheveux. Elle est trop, maman.

Un petit visage fin, de grands yeux bleus, d'un bleu assez sombre, pas façon fille du froid. Plutôt fille du Sud, en fait. Des traits bien dessinés, un petit nez qui aime s'amuser. Dora a quinze ans. Quinze ans à croquer, pour ceux qui aiment les bourgeons. Pendant que son corps restait un peu à la traîne, elle a survolé le collège sans s'en apercevoir, elle a raflé toutes les options possibles, sauf en sport. Elle a travaillé à l'école parce que ça se fait et qu'elle a tout ce qu'il faut pour. Surtout parce que maman et papa le voulaient. C'est comme ça, les parents, ça veut souvent à la place des enfants. De certains enfants. Ceux qui aiment leur faire plaisir.

Histoire de jouer la solidarité, elle a essayé d'en parler à son petit frère, mais Hans l'a remballée vite fait. Il a déjà compris. À douze ans, il s'est jeté chez les skaters. Mais il n'y a plus que les nazes qui font de la planche, il a trouvé. Ou des sixièmes. Alors il a balancé ses baggies ultra-larges et, comme il ne savait pas comment se fringuer, il s'est réfugié devant son ordinateur. Maintenant il est connecté quasiment vingt-quatre heures sur vingt-quatre, Facebook et les sites où il télécharge comme un vorace. Il mate des vidéos dégueulasses, happy slapping, sexting et compagnie, ça le fait marrer, mais Dora a compris qu'il hésitait encore à entrer vraiment dans la partie. De temps en temps, il sort avec ses copains, ils descendent quelques bières pour se donner du courage et ensuite, ils taguent une rue, pour se rendre intéressants. Et ils pissent sur les grafs des autres, c'est leur grand jeu. Parfois ils se battent. Bravo, les mecs. Hans est nul en classe, il répond à ses professeurs, il manque de se faire virer toutes les semaines. Papa est obligé d'intervenir, d'expliquer le caractère de son fils, de négocier. Il faut dire que papa est psychanalyste, ça impressionne les professeurs. Hans s'en fout, il ne sait pas à quoi ça sert, la psychanalyse, et il ne veut surtout pas le savoir. Il a dit merde avant de muer. Des fois, Dora a un peu peur de lui. Mais elle le regarde par en dessous, elle l'admire en cachette. Sans qu'elle s'en soit rendu compte, elle sait qu'elle est passée du côté des grands et ça la trouble, ça l'énerve, mais elle ne peut pas se refaire.

Dora a quinze ans. Elle a un an d'avance. En plus, elle est de la fin de l'année. « Un excellent élément à qui il manque évidemment un peu de maturité. » La prof principale a écrit ça sur son livret scolaire en fin de seconde. Bien dit, docteur, certainement, mais c'est quoi la maturité, au juste ? Être comme tout le monde. Merde à la maturité, alors. Si elle continue comme ça, on lui prédit Normale sup, l'agrégation de je ne sais quoi, ou l'Ena, en tout cas une carrière intello et brillante. Alors elle freine comme elle peut, en éco, par exemple, elle a horreur de la mère Pichon. De toute façon, Dora n'a aucune idée de ce qu'est une carrière brillante. Quand elle regarde les vieux autour d'elle, elle n'en trouve aucun de brillant. Dans les livres, peut-être, mais pas dans la vraie vie. Les profs qui ont l'air de s'emmerder à rabâcher leurs cours depuis mille ans, les gens à la télé qui se la jouent tellement que ça se voit, et, plus près d'elle, les amis de ses parents qui s'écoutent parler en s'enfilant des whiskies quinze ans d'âge. Juste son âge. Ça doit être bon, parce qu'ils partent bourrés de la maison. Dora les écoute souvent à travers la porte de sa chambre, ils sont brillants en début de soirée quand on parle politique, philosophie ou problèmes de société. Mais, passé minuit, ils lancent conneries sur conneries. Et parfois des conneries lourdes, genre sexe, je ne sais pas comment mes parents les supportent. À moins qu'ils ne soient comme eux. Qui se ressemble s'assemble, sa grand-mère Noune dit toujours ça. Pas impossible non plus. Dora trouve que ses parents sont un peu faux-culs. Et frimeurs. Cela, elle ne le dit à personne.

Si, une fois elle l'a dit à Ben qui hurlait contre la société. Ce jour-là, il trouvait tout le monde con. Tout était con et inutile. Dora avait jugé important de surenchérir. Ben avait répondu, méchant : «Je m'en branle de tes parents, j'en ai, des parents, moi ?»

Dans ces moments-là, Dora frissonne. De peur, d'excitation, elle ne sait pas.

C'est la vérité, Benjamin Trep n'a pas de parents. Il en a bien eu un jour, mais c'est tout. Depuis qu'il est né, il vit sans. Foyers, orphelinats, DDASS, de la merde, tout ça, crache-t-il quand il a bu. Parce qu'il boit. Et souvent. Et beaucoup. Benjamin Trep se fait appeler Bad Trip. Il a longtemps laissé croire qu'il se défonçait à l'héro parce qu'il pensait que c'était mieux, comme image. Vrai dur, faux tox. En fait, ça éloigne plutôt les gens. Il a laissé tomber l'imposture parce qu'il ne touche pas à la poudre et qu'il n'y a jamais touché. Sa culture, son poison, son goût, c'est le vin. Le vin blanc, surtout.

Il a choisi cette option dans sa dernière famille d'accueil. Des gens cool, pour une fois. Elle, une grosse femme qui souriait tout le temps au milieu de sa marmaille. «Un de plus, j'en ai rien à cirer !» voilà ce qu'elle répétait à longueur de journée. Et c'était vrai. Les Marthelin avaient quatre enfants à eux de sept à treize ans et ils en gardaient autant. Des petits et des grands. Un sacré foutoir, mais un foutoir qui sentait la lessive et le gratin de pommes de terre. Et du rire toute la journée.

Le père Marthelin travaillait aux trains et il rentrait souvent à quatre pattes. Mais, dans ces moments où d'autres auraient cogné sur tout ce qui bouge, lui se contentait de rigoler. Il prenait les enfants sur ses genoux, et il leur faisait des câlins. Mélangeait aussi les prénoms, mais tout le monde s'en foutait. Ce grand gaillard dépenaillé aimait les manifestations affectueuses. Et les gosses, les siens comme les autres, se trouvaient bien sur ses genoux, à respirer son haleine de poivrot et à supporter ses bisous mal rasés. C'était la vie chez les Marthelin. Ben était resté chez eux presque trois ans. Juste le temps de réussir enfin un CAP de charpente et d'apprendre à aimer le vin blanc. Une sorte de trêve dans sa vie pourrie d'enfant ballotté entre la misère et la connerie de l'Administration qui avait finalement viré les Marthelin de leurs listes parce que le père avait soi-disant tendance à boire, tu parles d'une affaire ! Quand il avait appris ça, Ben avait voulu mettre le feu à la boutique, rue Garibaldi. La DDASS, à chier ! Crame, saloperie ! Il hurlait sous les fenêtres des bureaux en pleine nuit, après avoir allumé un ridicule amas de journaux contre la porte d'entrée.

Ben n'a pas de parents, c'est vrai. De vrais parents, comme on dit chez les gens qui croient faire la différence entre le vrai et le faux. De temps en temps, quand il en a marre, il retourne chez les Marthelin qui l'accueillent toujours de la même façon, à n'importe quelle heure du jour ou de la nuit. « Tu as mangé, mon grand ? » demande la mère, heureuse à en pleurer parfois. « Tu bois un coup de blanc avec un cheminot communiste ? » dit le père en se frottant la barbe. Mais voilà le truc : Ben n'est plus charpentier. Ben n'est plus rien. Ben est passé par la case prison. À dix-huit ans, une banale histoire de pari idiot entre copains de bar. Piquer une BMW et aller faire un tour en ville. Lui, il savait un peu conduire, alors, comme un crétin, il avait pris le volant. Le problème, c'est qu'ils ont eu un accident. Il roulait un peu vite, il pleuvait. Feu rouge, je passe et je les emmerde, avait crié Ben. Manque de chance, une patrouille traversait le carrefour à ce moment-là. Pas de blessés, mais un an ferme. Il a fait huit mois.

Mais ensuite, il n'a pas retrouvé de travail. La charpente, ça se besogne en banlieue, dans les lotissements qui poussent dans les champs de luzerne. Et sans argent, pas de voiture, et sans voiture, pas de taf. Et sans taf, pas d'argent et je recommence.

Il a fait un peu d'intérim. De tout. De la production, surtout. Jamais embauché, à cause de son caractère trop vif, paraît-il. À cause d'à cause, on pourrait en parler toute la nuit. Finalement, il a trouvé un job. Il est physionomiste dans une boîte de nuit. Videur, plutôt. Une discothèque pour jeunes friqués. Le Double Basic. Pas d'Arabes, pas de Blacks, lui a tout de suite dit le patron qui s'appelle pourtant Saïd. Mais, comme il aime bien traverser les lignes, Ben les fait entrer quand même. Saïd gueule, mais Ben s'en fout.

C'est justement là que Bab avait organisé sa fête, champagne et vodka Malibu avec les gosses des bourgeois. Et il y avait eu Dora.

Un vrai miracle. Dora.

Cravaté un peu de travers, du gel dans les cheveux, il avait aidé au service. Saïd trouvait qu'il présentait bien. C'est vrai que dans le noir, en fermant un œil, il faisait presque lycéen.

Dora.

Dès qu'il l'avait vue, il avait voulu la voir plus.

Comment il avait fait pour ne pas se précipiter tout de suite dans ses bras, Ben ne savait pas. À 1 heure du matin, il n'en pouvait plus de la regarder. Après s'être frotté cent fois les mains sur son pantalon, il avait osé l'approcher, et – cela aussi tenait du miracle – elle n'était pas partie en courant. Alors ils avaient parlé, parlé, parlé, parlé. Ben, de plus en plus en confiance malgré sa peur de passer pour un minable, Ben de plus en plus fasciné par la petite merveille qui le regardait droit dans les yeux, légère, fraîche, douce, cachée dans un énorme pull noir d'où ses cheveux blonds émergeaient comme un diadème. Il se retenait tant qu'il pouvait, mais il était incapable de ne pas la dévorer des yeux. Elle faisait celle qui ne remarquait rien. Il restait planté devant elle, et ils parlaient, ils parlaient encore de tout et de n'importe quoi, impossible de se rappeler. Il baissait souvent les yeux pour ne pas lui montrer qu'il souriait de bonheur. Elle le regardait avec une fausse innocence. À la faveur de l'obscurité d'un slow, «*I'm calling you*» à pleurer (ça fait vingt-deux ans que je t'appelle, Dora), il l'avait attirée doucement, elle s'était laissée aller contre lui et ils avaient dansé, immobiles et tendres, lui le cœur à la limite de l'explosion.

Un moment, il l'avait embrassée.

Une liane. Douce. Dora... Un vrai miracle.

Mais la vie n'est pas simple. Pourquoi le serait-elle pour

un pauvre, hein ? D'un côté il y a Dora, le soleil qui lui chauffe le cœur, la surprise inexplicable qu'il savoure comme un caviar inconnu, grain après grain, et d'un autre la trivialité de survivre l'étouffe, la routine de bouffer, de payer ce qu'il doit l'accable, parce que c'est dur. Comme tout le monde, d'accord, rien à dire, on ne peut pas toujours se plaindre. Alors Ben se débrouille. Son fric de pauvre, Ben se le gagne à l'estomac. Pour se faire plus d'argent, il s'est lancé dans les combines avec Rumi.

Rumi, un sacré phénomène, celui-là. Faudra qu'on en reparle.

Ben vit dans un appartement à la Croix-Rousse, rue Dumenge. Un vieil immeuble délabré qu'il est question de réhabiliter un jour. Tout le monde attend. L'immeuble aussi, avec les chiottes sur le palier. C'est pourquoi personne ne vient jamais chez lui. Ben a honte de son lieu de vie, bien qu'il l'ait arrangé avec assez de goût. Quatre cents euros par mois et la douche devant l'évier, les pieds dans une bassine et la vaisselle de la veille dans un coin. Ben s'en fout, mais il aimerait bien ramener Dora chez lui. C'est impossible, on ne mélange pas les torchons et les serviettes, surtout quand elles sont en soie. Et les torchons, on sait ce que c'est.

L'histoire qui va se raconter ici commence peu de temps après que l'immeuble dans lequel vit Ben s'est à moitié effondré. On a démoli à côté pour construire du neuf, et son immeuble n'a pas supporté de se retrouver sans soutien. La façade s'est fissurée et l'escalier s'est cassé en deux endroits. Évacuation d'urgence, sécurité, sécurité, les flics hurlaient dans les couloirs. Donc, à la porte, Ben, lui et ses vingt-sept voisins, des petits vieux et deux familles de Tunisiens. Tout cela s'est passé un vendredi matin. Des promesses de relogement ? Tu rigoles ! C'est juste bon pour la télé, d'ailleurs, on en a parlé sur France 3 Rhône-Alpes. Une minute trente. Une belle jambe, ça me fait.

Benjamin a trouvé refuge chez les Marthelin. Qui l'ont accueilli comme d'habitude. Mais Ben veut se débrouiller tout seul. Alors il reste le week-end.

Il les quitte le lundi matin.

2

Dora rêvasse. Mme Pichon poursuit son monologue. Ce n'est pas le genre à poser des questions à la classe. Elle se rattrapera sur les contrôles. Vicelards, ses contrôles, portant sur des points peu développés en cours, à cause de ce qu'elle appelle «la nécessité du travail personnel», tu parles. Dora s'en fout. Elle a de l'avance dans d'autres matières, elle est intelligente, tout le monde la serine avec ses possibilités, ses capacités, elle en a plutôt marre. Elle a envie de vivre autre chose, elle ne sait pas quoi au juste. Si, il s'appelle Ben. Benjamin. Avec lui, tout est possible, dangereux et possible, toutes ses copines, même les plus délurées, ne peuvent pas en dire autant.

Elle plisse le front. Et cela lui arrive dans la tête, sans avertissement. Le truc qui fâche. Le petit bout de langue de sa copine a poursuivi son chemin dans sa tête. C'est simple. Le sexe. Voilà, c'est dit. Le sexe. Dora sait bien qu'elle ne pourra pas toute sa vie surseoir à cette question. Grave question : baiser ou ne pas baiser à quinze ans, voilà la réalité toute crue. Ben a vingt-deux ans, il y pense, c'est normal, elle trouve. Tout le reste n'est que de la poésie quand on est un mec et qu'on a vingt-deux ans. Dora y pense aussi, pourquoi elle n'y penserait pas ? L'envie, des fois, bien sûr, juste l'étage au-dessous de la tendresse, mais il y a quand même une sorte d'obligation qui la soûle. Ouh ! Pas très élégant, songe Dora. Je suis plutôt vulgaire, carrément vulgaire, même. Un peu à son image. Ben est comme ça, il parle comme ça. À quoi bon essayer de le changer ? Oui, mais là, il s'agit de revoir toute son éducation à elle. Des siècles de bonnes pensées, non ? Même rêvassant un lundi matin en plein cours d'économie, la jeune fille a un étonnant pouvoir de jugement. Tandis que la Piche s'égare dans les méandres de la Bourse et de son influence sur le PIB, Dora est en train de se représenter avec une lucidité d'adulte les bienfaits et les méfaits de l'éducation qu'elle a reçue. Qui parlait de maturité tout à l'heure ?

Papa est psychanalyste. C'est rassurant, non ? Il s'appelle Jan. Il a la quarantaine bien avancée, une quarantaine un peu triste avec des cheveux longs déjà gris qui lui tombent sur les épaules, genre intello de gauche sur Arte quand tout le monde dort. Et des lunettes qui ont toujours tendance à glisser au bord du nez, un regard bleu, plus clair que celui de sa fille, un regard qui vous sonde en deux battements de paupières.

On ne devient pas psy par hasard. Jan Lubba a eu peur toute sa vie. Tapie dans les gènes familiaux, la trouille. Il a vécu son enfance avec elle sans rien y comprendre, dans une ambiance globale plutôt triste, exacerbée à certains moments par les soupirs désespérés que poussait son père. En général c'était le soir, au milieu du repas, sans que ce dernier ait jamais expliqué pourquoi il paraissait si malheureux à ces moments-là. Jan guettait ces soupirs comme il redoutait les traces brouillées qui allaient apparaître ensuite dans les yeux de papa, et quelque chose lui tordait le ventre. Puis tout rentrait dans l'ordre et le silence. Jusqu'aux prochains soupirs.

Plus vieux, pendant ses études médicales couplées à un diplôme de philosophie, Jan Lubba a décidé de faire le ménage dans son histoire familiale. Les guerres, LA guerre, la déportation des anciens, ceux qui reviennent, ceux qui ne sont pas revenus. Quelques belles légendes familiales des confins de la Hongrie en prime. Les meilleurs traqueurs d'inconscient ne sont pas parvenus à faire disparaître cette peur. Jan a essayé pendant quinze ans, et finalement il a fait son métier de cet héritage silencieux.

Mais il y a une sacrée différence entre son père et lui. Jan prétend parler avec ses enfants. Le résultat n'est pas brillant, il le sait. Les enfants, ça parle quand ça veut, les parents n'ont qu'à être prêts, sinon, ça ne parle plus, résumait Françoise Dolto à la radio. En tout cas, pas sur commande, après le dessert, genre : «Ma fille, tu as eu un cinq en biologie, veux-tu qu'on en discute?» La fille fait hon-hon et se casse. Le fils est déjà devant la télé en train de zapper comme un malade sur les trois cents chaînes du nouveau décodeur.

Lubba y croit pourtant. C'est un homme sincère. Il est persuadé que le temps joue avec lui, que Dora et Hans comprendront un jour qu'il est vraiment à leur disposition pour tout entendre et tout accepter, qu'il incarne un sorte de nouvelle paternité. Et un père psychothérapeute, ce n'est pas rien, ajoute-t-il, rassuré, bien installé au fond de son fauteuil.

Et maman dans tout ça? Oh, maman, c'est autre chose. Maman, c'est l'artiste de la famille. Maman chante. Pas seulement dans la salle de bains, non, maman chante pour de vrai. À l'Opéra. Elle est professionnelle. Elle est le chef des sopranos dans le chœur. Depuis deux ans. Avant, elle n'était qu'une soprano parmi les autres sopranos. On dit soprani? Probablement. Elle a eu sa promotion. Maman est mesurée, elle bat la mesure, ah! ah! Je rigole, maman fait tout avec calme et précaution. Exemple, il faut la voir en cuisine, c'est hallucinant. Elle ouvre au moins un livre de recettes par plat. Quand ce n'est pas deux. Elle pèse tous les ingrédients, même les plus simples. Elle ne s'en tire jamais bien. Alors, pour faire efficace, chez les Lubba, on ne mange pratiquement que des surgelés : Marion Lubba a peur de mal faire.

Putain! Voilà, grâce à la Piche, je viens de comprendre que ma mère manque d'assurance.

L'économiste vient de se taire.

— Mademoiselle Lubba, votre repos est-il terminé que vous n'en sortiez brutalement par un tel cri?

Belle phrase, culture XVIIIe. Mme Pichon s'est levée de sa chaise. Dora la regarde. Tous les visages se sont tournés vers elle. Bab rigole. D'autres intéressés font les malins et grimacent des horreurs. Dora se sent rougir. Elle a dit quelque chose?

— J'ai dit quelque chose, madame?

La classe éclate de rire. La Piche fronce les sourcils. Ça va pleuvoir, pense Dora.

— Vous avez le front de me poser une telle question ?

— Je n'ai le front de rien. Je ne sais pas ce que j'ai dit. J'étais un peu ailleurs.

— Vous dormiez, peut-être ?

Rires de trente gamins ravis de l'altercation. Dans ce lycée bourgeois, les bagarres sont rares, il faut en profiter.

— Dormir serait exagéré, répond Dora qui commence à y prendre goût.

— Et, si je vous suis bien, vous auriez poussé un cri dans votre semi-inconscience, c'est bien ça ?

— Si vous le dites.

— Vous vous moquez de moi, mademoiselle Lub-ba.

— Inutile d'insister sur mon nom.

— Qu'est-ce que vous dites ?

— Je dis : inutile d'insister sur mon nom comme si vous aviez des difficultés à le prononcer. Bien qu'il soit d'origine étrangère, c'est très facile.

— Je rêve, dit la Piche.

Dora s'enhardit. Elle commence à éprouver une sorte de jouissance à cette joute verbale. Et les spectateurs en redemandent.

— C'est moi qui rêvais, je vous rappelle.

La Piche vient de piquer un fard. Son visage rond, un visage à porter la même permanente pendant trente ans, vient de se gonfler. Elle garde son calme d'habitude – ce n'est pas une bande de gamins qui va me faire sortir de mes gonds, dit-elle toujours à ses collègues en salle des profs. D'autres si, qui se sauvent parfois de cours en pleurant. Elle, jamais. L'économie ne prête pas à la rigolade. Mais, aujourd'hui, elle s'empourpre, pour un peu elle taperait du pied, mais elle se retient à temps. Les élèves passent de Dora à elle. Ils sont un peu étonnés. Ce n'est pas le genre de Dora, elle est plutôt réservée, d'habitude.

Mme Pichon, étonnée ou pas, est en colère. Alors, elle s'approche de Dora. Arrivée devant sa table, elle tend la main.

— Carnet.

Dora le cherche un peu pour la forme et le lui tend.

— Je vais écrire une petite histoire à votre père, je suis certaine que cela lui fera plaisir.

— Ne vous gênez pas.

— Taisez-vous.

Une grande respiration et la Piche conclut :

— Maintenant, vous ramassez vos affaires et vous disparaissez de ma vue.

En retournant vers le tableau elle ajoute :

— N'oubliez pas de passer chez M. Blain.

Dans le couloir, Dora sourit. Elle est contente d'elle. C'est la première fois qu'elle tient tête à un prof. Dommage pour la Piche, elle aurait préféré le prof de bio, qui est toujours à mater les filles et à sourire, les lèvres humides. Sans compter qu'il se gratte les couilles à travers la poche de son pantalon et que ça se voit, le dégueulasse. Oui, avec lui, cela aurait été plus sportif. À vaincre sans péril...

Devant la porte de Blain, elle attend. Encore un quart d'heure avant la fin des cours. Elle frappe ou pas ? Qu'est-ce qu'il va lui dire ? Que ce n'est pas bien, qu'il ne fallait pas ? Le CPE est un brave type. Encore un qui cherche le dialogue, qui veut comprendre.

Elle piétine devant la porte et son optimisme commence à fondre. Je n'aurais peut-être pas dû... Je vais ramasser. Elle se penche contre la porte, tend l'oreille. Pas de bruit à l'intérieur. Tout à coup le téléphone sonne. Dora attend la fin de la sonnerie pour frapper. Personne n'a décroché. Blain n'est pas là. Va falloir monter au deuxième, chez le nazi. Le proviseur. Casenave. D'où naze. De naze à nazi, il n'y a eu qu'un pas, le surnom a mis dix jours à sortir. Le proviseur a l'habitude de hurler à travers les couloirs. Et il a la voix qui porte. En plus il a le crâne rasé. Je sais, ça ne suffit pas, mais, quand on est jeune, on a le sens de l'excès. De toute façon le proviseur s'en fout. Il apprécierait même plutôt – *Oderint dum metuant.*

Dora a fait du latin, elle en fait encore. Pour la mention très bien, consigne familiale (avec tes capacités, ce serait idiot de...). Mais elle n'a pas envie de monter au deuxième. Même avec son passé scolaire. Entendre des réflexions du genre «Je ne m'attendais pas à une telle conduite de votre part, ma petite...» Il va la jouer étonné, le naze, il va me pleurnicher sa déception. Gave. Sans compter qu'il va sûrement me parler de papa, papa ci, papa ça, gave, tous. Prise entre la trouille du crâne rasé et un vent de révolte qui souffle entre ses oreilles, elle hésite encore. Elle s'avance dans le couloir. Elle entend des bruits de pas. Ça claque sur le carrelage. Qui c'est ? Elle a peur, tout à coup. Elle ramasse son sac et file de l'autre côté. Vite, un escalier. Ses Puma ne font pas de bruit. Elle passe devant la vie scolaire sans lever la tête. Les pions sont en train de discuter. Le grand voûté lui tourne le dos... C'est le plus chiant. Dragueur, moche et autoritaire, il se la joue copain et pue la transpiration. Il fait une licence de maths, il ferait mieux de faire une licence de Narta. Vite encore, elle descend les marches, elle est dans la rue. Elle respire et dit à haute voix :

— Je viens de me faire virer.

3

Lundi toujours, la matinée s'achève, Ben l'a passée chez Rumi.

Rumi, comme Ruminator I, le célèbre. Celui qui manie les boutons d'acné et les aigreurs d'estomac à longueur d'année. Des rouges, des blancs, des petits, des gros, les boutons. Et les aigreurs, toujours à remâcher des questions sur le mal qu'on a pu dire ou penser de lui. Inquiet chronique mais en même temps le premier à se lancer dans l'entreprise la plus folle et la plus bête. Il rumine, ça oui, mais ne réfléchit pas loin.

Son appart sent la cage aux fauves et l'équipement sportif en été. Non que Rumi soit un adepte des efforts physiques. L'entretien et les révisions ne sont pas assurés passé vingt-cinq ans. Lui, ce serait plutôt le pays de la glande qui l'attire. Ne rien faire du matin au soir lui convient parfaitement. Rumi vit comme une cloche, il se lave rarement, les cheveux jamais, il tient trop à ses dreads faites maison avec du savon noir, qui empestent dès qu'on s'approche à moins de deux mètres. Il kiffe trop le reggae, Rumi, mais il n'a pas le sens du rythme. Bientôt vingt-six ans, oui, et déjà neuf mois de RMI à son actif. Il va bientôt fêter ce premier anniversaire tellement il est content de lui. Rumi, RMI, ça rime, c'est trop cool. Dommage que ça s'appelle RSA, maintenant.

Comment Ben et lui ont pu devenir copains, c'est presque un mystère. À part l'âge, je ne vois pas. Ben a eu une enfance difficile. Pas d'enfance, en fait. Rumi, si. Fils d'employés municipaux à Dijon. Pas des nantis, mais des gens honnêtes, travailleurs, avec des bonnes valeurs républicaines – des gens sans histoire. C'est peut-être ça, la bonne réponse. Pas d'histoire. Tes parents, ils font quoi ? Réponse : je sais pas. Cinq frères et une sœur. Rumi, c'est le deuxième. Toujours les deuxièmes qui morflent, il répète souvent sans pouvoir expliquer davantage.

Ben et lui se sont rencontrés chez l'éducateur judiciaire. « À votre sortie de prison, il vous faudra un suivi socio-éducatif, monsieur Trep », avait dit le juge. Parti pour trois rendez-vous par mois avec un petit barbu qui le tannait sur le sexe. Voulait tout savoir. Pauvre con.

Les deux garçons attendaient dans les locaux de l'éducation spécialisée. Se regardaient pas trop. Tripotaient chacun leur convocation.

— T'es là pour quoi ? avait finalement demandé Rumi.

— T'occupe, avait répondu Ben, décidé à ne pas entrer en relation avec qui que ce soit, surtout pas avec un boutonneux.

— Moi, c'est rapport à mon frère. Le quatrième. Son éducateur veut me voir. J'ai été choisi pour m'occuper de lui, paraît-il. Il est à Lyon aussi. Fait chier.

— Ah.

— C'est pas mon boulot. Tuteur moral, ils appellent ça. Il a des parents, non, cet abruti ? T'es là pour la même chose ?

— Moi, je sors de cabane.

Là, grand moment de silence. Rumi regardait Ben comme s'il venait de rencontrer Jésus. Il sort de cabane ! C'est un vrai. Quand je dis que Rumi n'a pas inventé la vis sans fin. Parce qu'il faut ajouter que Rumi, sans être un vrai rebelle ni un révolutionnaire, en tient pour la déviance. La déviance, mais sans oser. La subversion, mais plutôt devant son écran que dans la rue. L'altermondialisation, le Front de gauche, rien à foutre, dit Rumi. Et pourtant, là, il y aurait matière à s'engager, non ?

Non. Il ne fait rien, à part s'enfiler des bières et fantasmer dans le vide. Par exemple, il imagine une force obscure, genre secte sans les conneries habituelles de cheveux ras ou de jupe orange, une force influente dont il serait membre et qui travaillerait en secret pour mettre à bas tout ce monde pourri du fric, des bourgeois, de la politique et tout le bordel. Dominer sans que cela se sache. Parce qu'il rêve d'un certain pouvoir, Rumi. Un pouvoir pour rien, à part se faire quelques chanteuses de la télé et rouler en Cayenne. Mais pour ça, et il le sait, dans la vraie vie, il faut être beau et avoir du blé. Au fil des ans, une sorte de haine est peu à peu montée en lui, qui ne s'origine pas dans une frustration fondamentale ni dans une quelconque carence affective. Seulement dans une grande paresse.

Voilà, Ben et lui se sont rencontrés. Ils ont commencé à discuter ensemble, puis ils se sont mis à boire. Quand on boit, on se trouve vite des points communs. Leur seul véritable point commun, c'est la solitude. Ben est seul depuis toujours. Rumi est seul aussi, il a coupé les ponts avec sa famille, même avec son frère, ce que l'éducateur n'a pas apprécié. Rien à battre. Ben et lui sont devenus des amis. En sont-ils vraiment ? Difficile à dire. Après des tas de sorties arrosées, de confidences, de manque de projets, de trop d'espoirs, quelque chose s'est lié entre eux.

Le point de départ, ce fut une phrase de Rumi : « Tous ces mecs pleins aux as, je kifferais à leur piquer leur fric, tu peux pas savoir ! »

Ben a entendu. Piquer, c'est voler. Voler, c'est puni cher. Et je connais, je sais où on passe à la caisse. Pas question. Mais, après quelques verres de blanc, une petite voix lui a dit qu'après tout, oui, peut-être... Pas agresser les gens. Piquer là où ça ne fait pas trop mal. Ils en ont discuté toute une soirée. Puis une autre, puis une autre encore, ils ont exploré toutes les possibilités, du braquage au casse d'appartement. Ils ont même évoqué l'escroquerie, les chèques, les cartes, mais, pour envisager un travail en finesse, ils se sont sentis limités. Ils n'avaient pas tort.

C'est Ben qui a eu l'idée. En discutant un jour avec Marco, le barman de la boîte où il travaille, il a trouvé le plan qui tue : les caves. « Dans les caves, il y a plein de saloperies. Mais il y a surtout du vin. Du bon vin. Les bouteilles, ça se revend facilement aux restaurants, Marco m'a dit qu'il savait où, tu calcules ? »

Rumi a calculé mais il lui est venu une objection : « Ça pèse, les bouteilles, c'est pas facile à manier. »

La cosse, toujours. Ben a répondu qu'on n'avait rien sans rien. Il a ajouté qu'il allait réfléchir à la question. Et surtout se documenter, parce que, en dehors du blanc de bistrot, Ben ne connaissait rien à l'œnologie. Avec Marco comme premier professeur, il a décidé de s'y mettre. Il s'y est mis. Bouquins, questions-réponses dans les boutiques spécialisées, quelques achats dans les grandes surfaces, quelques cuites aussi, c'est en forgeant qu'on devient forgeron.

Un petit mot sur le troisième larron. Marco. Marco Banzi. La trentaine qui a échappé à la prison par miracle avec tous les délits qu'il a commis depuis sa puberté et même avant. Lui, c'est le séducteur. Plutôt beau gosse, style chanteur italien des années 70, petit à talonnettes, mince, une grande mèche qu'il repousse sans cesse de la main en parlant. Les filles, il les tombe quand il veut. Derrière son bar, il surveille, il choisit et il emballe, mais ce qu'il sait le mieux faire, c'est intriguer, suggérer, monter des petits scénarios pour se faire bien voir de Saïd, le patron. Ça ne vise pas loin, mais, comme ça, il arrive à piquer dans la caisse quelques centaines d'euros par-ci, par-là tandis qu'il plane un perpétuel climat de suspicion au Basic. On le voit de temps en temps glisser une petite phrase à l'oreille de Saïd, puis celui-ci hocher la tête. Trois filles du bar se sont fait virer en six mois. Des putes, ricanait Saïd, toutes des putes. Marco souriait. Voilà le genre. Un bon point tout de même pour lui : il a une voiture, et une grosse.

Rumi et Marco sont vite devenus copains. Rumi, c'est un mouton qui bêle de travers, il n'y a rien à redouter de lui. En revanche, Marco craint un peu Ben. Il le sait costaud et soupe au lait. À tenir à distance.

Les trois garçons sont partis en chasse. Ils se sont fait la main dans les quartiers ouvriers. Facile, mais butin maigre. Des vins ordinaires ou inconnus, rien de prestigieux, que les restaurants ont payés en piécettes. Ils sont allés plus loin, ils sont sortis de leur territoire et là, bingo. Champagne, surtout. Par caisses entières. Je passe sur les autres bouteilles, pour ne pas faire trop de jaloux dans le monde vinicole.

Depuis quelques mois, à raison d'une cave tous les quinze jours, ils doublent leurs revenus. Sans risques. Le plus fatigant, c'est la manipulation, dit Rumi.

Tout roulait. Mais le sable a été inventé pour se glisser dans les rouages qui roulent tout seuls. Alors voilà, c'est l'histoire d'un petit grain qui va bloquer la machine.

Ailleurs, Freud souffle sur le revers de son veston. Quelque chose trouble la blancheur de son vêtement. Une petite poussière, un cheveu, un poil de barbe ? Peut-être rien d'autre que la trace du temps.

4

Dora continue d'avancer. Elle réalise qu'elle a plus peur que prévu. Elle s'arrête et reprend son souffle. Elle est partie du mauvais côté. Ben a dit qu'il serait là à midi. Elle revient sur ses pas et traverse la rue Sully. Elle s'installe contre une porte cochère, de biais par rapport au lycée, et elle attend. Bientôt midi. Ses copains ne vont pas tarder à sortir. Elle aurait des lunettes de soleil, elle se les mettrait sur le nez, comme dans les films. Mais elle n'en a pas et il fait gris. Au loin la sonnerie du lycée. Toutes les heures. Elle regarde. Est-ce qu'il va venir ?

Il le lui a promis samedi soir, lorsqu'ils sont rentrés du Basic. Ben l'a raccompagnée à pied, le bras sur l'épaule. Un bisou de temps en temps, une main sur ses petits seins à travers l'épaisseur de la parka Agnès B, une folie que sa mère lui a offerte pour son anniversaire. Pas de risque qu'il trouve quelque chose à tâter, Ben, mais il s'efforce, il fait le propriétaire, c'est ma gonzesse, ma meuf. Dora aime bien. Tant qu'on en reste là. Puis quelques baisers dans le hall de l'immeuble, le dos à la minuterie pour ne pas trop laisser du noir, les garçons s'enhardissent dans le noir, c'est bien connu. Après, juste avant que Ben ne perde le contrôle de la situation :

— Il faut que je monte, dit-elle, un peu rouge. Tu viens me chercher lundi à midi ?

— Où ?

— Au bahut.

— Si je suis réveillé.

— Tu seras réveillé. Tu promets ?

— Oui.

— Promis ?

— Oui, je t'ai dit. Je peux monter, moi aussi ?

La demande est rituelle. Ben met la pression, mais il connaît la réponse. Quelque part, il aime bien cette réponse. Cette gamine, c'est un peu sa réhabilitation. Qu'une gosse de riche lui trouve de l'intérêt, c'est comme respirer de l'oxygène pur. C'est comme ça qu'il imagine l'oxygène, Ben.

— Non, biquet. À lundi ?

— D'accord.

Ben la regarde monter l'escalier. Elle m'appelle son biquet, j'y crois pas. Dora paraît toute menue dans sa parka noire, petite fée sur les marches de pierre. Putain, qu'elle est belle. Elle se retourne au demi-étage et lui fait un petit signe de la main. Puis elle redescend à toute allure pour l'embrasser encore une fois. Ben est bouleversé. Il la serre dans ses bras, s'étouffe de bonheur dans la fourrure de la parka. Et puis elle se dégage comme au tango et elle remonte, deux par deux, et disparaît. Une gazelle dans les hautes herbes.

Ben s'était juré de ne pas lui parler de son appartement et il ne l'a pas fait. Il a trop honte de lui dire qu'il a été viré de chez lui et qu'il zone ici et là, il a trop honte de lui parler une fois de plus des Marthelin, de Rumi ou de Marco et de ce qu'il fait avec eux, trop honte de tout ce qui le concerne, en fait.

Chez Dora, il règne une odeur de tabac. Son père fume le cigare. De petits cigares fins. Comme Freud, bien sûr, comme l'idole qui est en photo sur le petit mur le long de la bibliothèque. Dora trouve ça marrant. Ils ont même un tableau. Elle n'a pas fait de bruit. Traversé le salon sur la pointe des pieds. 05:12, a dit l'horloge du magnétoscope. Le samedi, Ben est obligé de faire la fermeture, alors elle aussi. Si les parents se réveillent, je vais avoir droit au couplet sur la fatigue, les études, «Déjà que tu n'es pas très épaisse», et peut-être celui de l'anorexie. La hantise de papa, l'anorexie.

Il la scrute, il la pèserait bien deux fois par jour s'il ne se retenait pas.

La sonnerie retentit une seconde fois. Normal. Un coup pour avertir, un autre pour la sortie. Dora fixe le porche au-dessus duquel est écrit «République française – Lycée du Parc». Des élèves commencent à sortir. Dora ne les regarde pas. Ses yeux sont braqués sur les quelques personnes qui attendent dehors. Elle cherche un type de vingt-deux ans, jean râpé et blouson de cuir, à la grosse chevelure blonde tirée en arrière à la James Dean. Des santiags aux pieds. Ce serait lui. Il l'a promis. Il n'est pas là. Dora continue, il est peut-être en retard, il ne porte jamais de montre. Je pourrais lui en acheter une au lieu du portable, non? Non. Un portable, c'est mieux. Ça fait les deux. Elle regarde. La foule des élèves s'est massée sur les escaliers, le trottoir, et empiète sur la chaussée comme à chaque sortie. Les voitures klaxonnent, font des écarts. Des scooters démarrent, des vélos grincent. Pas de Ben. J'en étais sûre. Un quart d'heure plus tard, la foule s'est dispersée. Ne reste qu'un groupe de jeunes gens qui chahutent sur le trottoir. Dora est déçue.

Au moment où elle se décide à rentrer chez elle, la voiture de son père se gare devant le lycée. C'est une vieille Jaguar dont l'aile gauche est cabossée depuis dix ans. La nuit, le phare éclaire un peu le ciel. Dora se baisse. Elle essaie de disparaître dans le bois de la porte. Papa reste au volant. Il voulait certainement lui faire une surprise. Elle le voit se pencher et tripoter le bouton de l'autoradio, encore un accessoire qui fonctionne de manière aléatoire. Papa est patient, il est capable de rester deux heures dans la voiture à attendre sa fille. Dans peu de temps, il va sortir un livre de sa sacoche et se mettre à lire.

Dora ne sait pas quoi faire. Ce qui s'est passé ce matin au bahut n'est pas très grave, mais c'est la première fois que cela lui arrive. Elle ne sait pas comment ses parents vont réagir. Elle ne veut pas leur déplaire. Mais elle ne veut pas leur plaire non plus, c'est là tout le problème. Dora est une jeune fille policée, formatée, et en même temps, depuis Ben, elle se sent devenir une autre. Les yeux fixés sur son père, elle pense à son petit frère. Qu'est-ce qu'il ferait, lui ? Il dirait merde. De toute façon, Hans ne sait rien dire d'autre. Cette pensée ne l'aide pas. Dans le doute, elle préfère la fuite. La fuite immédiate devant son père qui n'avait pas parlé de venir la chercher en voiture. Cela lui arrive de temps en temps, mais il prévient. Dora n'aime pas trop. Pourquoi il est venu ? Il ne peut pas me lâcher ? La colère est arrivée sans qu'elle y prenne garde. D'un coup, elle est envahie par une violence qu'elle n'a jamais éprouvée. Merde à la fin. Gave, papa, je peux me débrouiller pour rentrer à la maison sans nounou. Je suis en première, merde. Elle répète merde tout fort. Un mec se retourne, elle lui tire la langue.

Dora est arrivée à l'angle. Là, sans un regard pour son père effectivement en train de lire une revue posée sur le volant, elle se met à courir.

5

Midi. Ben et Rumi sont assis dans la cuisine, rue Louis-Becker à Villeurbanne. La table est encombrée de bouteilles de bière et de vin blanc. Des sacs de chips sont éventrés, ils en sont à l'apéritif, visiblement. Ils s'expriment par onomatopées. Ils ne se parlent pas vraiment, du foot, de la télé, j'ai l'impression qu'ils restent dans les banalités comme s'ils évitaient quelque chose. Ben a bu quelques verres. Sa mesure. Il n'aime pas boire la journée. Il a mangé deux pincées de chips alors que Rumi se les enfourne comme un automate. On dirait qu'il ne peut pas s'arrêter. Et il décapsule à tour de bras. Hop, une canette en deux gorgées et vite une poignée de chips pour faire glisser. Et remettez-moi ça.

Soudain, Ben a un éclair de mémoire. La pendule sur le frigo. Dora. Il avait promis. Il s'en veut. Il tape du poing sur la table. Deux canettes se renversent. Rumi les retient juste à temps et regarde son copain.

— T'as un souci, Ben ?

— Rien.

— Préviens quand ça t'arrive.

— Bois et m'embrouille pas.

— Ouh ! là, là ! T'as tes vapeurs, mec.

— J'ai pas de vapeurs. J'ai les boules, c'est pas pareil.

— Rapport à quoi ?

— Rapport à quelque chose qui te regarde pas.

En aucun cas, Ben ne parlerait de Dora à Rumi. Il la salirait. Dora, c'est une étoile dans son ciel de merde.

— Je disais ça comme ça.

— Dis autre chose ou ferme-la.

Du coup, Rumi s'est senti agressé. Il n'aime pas. Déjà qu'il ne lui faut pas grand-chose pour se sentir persécuté, là, il n'a pas besoin de se faire des idées, c'est clair : Ben est en train de s'asseoir sur le respect. Il s'essuie la bouche, rote.

— Justement, il y a quelque chose que je voulais te dire, commence-t-il. Il manquait l'occasion.

— Vas-y, n'hésite pas. Mais dépêche, je suis pressé.

— J'aimerais bien qu'on parle un peu de notre dernier boulot. Boulevard des Belges. Tu te souviens.

— C'était mercredi.

— Oui, c'était mercredi. Et après, il y a eu jeudi.

— Toujours, Rumi.

— Arrête ton baratin. Je vais te dire. On s'est chargé dix cartons de brut, sept de bordeaux et quatre de montrachet.

— Des six.

— Je sais. Tu les as portés chez Marco, exact ?

— Avec sa bagnole. Comme d'habitude.

— Je sais. Au fait, t'as ton permis ?

Ben le regarde, étonné.

— Qu'est-ce que tu me soûles avec mon permis ?

— C'est pour savoir.

— Comment je les livre, les cartons, d'habitude, en vélo ?

— Ça va.

Parce que Rumi, le permis, il ne l'a pas encore réussi, tous des salauds, ces mecs, c'est combine et compagnie.

— Je l'ai passé après ma sortie, dit Ben. Dès que j'ai eu le droit. Je te l'ai déjà dit quinze fois.

— J'ai oublié et j'aime bien savoir.

— Où tu veux en venir ?

— Je veux en venir que les deux cents que tu m'as donnés jeudi soir, moi je trouve ça un peu court.

— Un peu court ? Et le rapport avec mon permis ?

— Aucun. Si. Basta. Entre le champ', le pauillac 2000 – c'est une super année, je me suis renseigné – et le montrachet, c'est de la tuerie. De la tuerie, garçon. En comptant les frais, j'en suis déjà à deux mille, et je mise petit petit. Et toi, tu t'amènes, la bouche en cœur, et tu me refiles deux cents malheureux billets ! Tu te fous de qui ?

— Demande à Marco.

— Je vais me gêner.

— Te gêne pas.

— T'es en train de me fourber, Ben.

— Je fourbe personne.

— Si.

Rumi est en colère. Il aime bien Ben. Il apprécie de travailler avec lui, Ben est costaud et il a de la cervelle. Mais il ne faudrait pas qu'il s'en serve pour se foutre de lui. Alors, ça monte.

— Dis-moi, Ben, tu fais ça depuis longtemps ?

— Faire quoi ?

— Me donner les miettes et garder le gras pour toi.

— Pense ce que tu veux, je m'en fous.

Ben s'est levé et a rassemblé son tabac, ses feuilles et son briquet. Il est en train de remonter la fermeture de son blouson quand Rumi se lève à son tour et lui accroche le bras.

— Tu penses pas t'en sortir comme ça ?

— Mais si, Rumi, mais si.

— Non. Je te jure que non.

— Alors tu vas me faire quoi ? M'assommer ? Me dévaliser ? Calme-toi.

Il ne faut jamais dire « calme-toi » à quelqu'un en colère. Cela s'appelle souffler sur les braises. Rumi bouscule la table en se redressant et tire un cran d'arrêt de sa poche. La lame sort en claquant. Il sait manier l'affaire, il tient le couteau de bas en haut, le corps penché en avant. Ben a réalisé. Ce n'est pas un grand sportif, Rumi, mais il sait peut-être se battre, et en plus il est bourré. Tout ça, c'est danger. Alors Ben sourit. Il soulève la table et la lui balance dessus le plus fort possible. Il fonce vers la porte sans un regret pour son sac dans lequel dorment quelques affaires. Il traverse sans s'occuper des voitures et se retrouve rue Racine devant un bus en train de démarrer. Il fait des grands signes au chauffeur. Le bus s'arrête et la porte s'ouvre.

— Merci, fait Ben.

6

Dora s'est mise à marcher normalement. Chaque pas lui apporte un peu de soulagement. Un apaisement calme et froid. Elle ne se pose pas la question. Elle ne rentrera pas chez elle à midi. Et peut-être même pas ce soir. Une fois sa décision prise, elle se sent bien. Elle aurait presque envie de balancer son sac dans une poubelle, mais elle se dit que ce serait un peu stupide.

Deux choses la tracassent tout de même. La première, prévenir ses parents. Malgré tout, elle ne leur en veut pas. Un peu à son père qui est venu l'attendre devant le lycée, mais sans plus. Sa mère, elle n'a qu'à continuer à chanter. Ses parents sont solides, ils n'en mourront pas si elle passe une ou deux nuits dehors. Le tout, c'est qu'ils ne se fassent pas trop de soucis.

L'autre chose concerne son avenir immédiat. Dora n'a pas l'habitude de la clandestinité. Elle ne sait pas où aller. Elle s'arrête et ouvre son portefeuille. Pas énorme, sa fortune. Une vingtaine d'euros. Faire quoi ? Elle réfléchit. C'est l'occasion, pourquoi pas. Il faut bien commencer un jour. Ce sera pour ce soir, la grande aventure. Ce soir, elle ira dormir chez Ben. Dora est un peu inquiète, mais bon.

D'abord elle prend son portable. Pas de message, bien entendu. Ben ne laisse jamais de message. Il répète qu'il ne sait pas quoi dire. Elle compose le numéro de la famille. C'est sa mère qui décroche.

— Ma chérie, quelle surprise ! dit-elle.

On est lundi, 12 h 30. Une surprise ! Ma mère est folle, normalement je devrais déjà être à la maison.

— Je n'ai pas cours cet après-midi.

— Parfait. Dis-moi, tu as vu ton père ? Il voulait passer te prendre en voiture.

— Non. Je suis sortie plus tôt que prévu.

— Il n'est pas encore rentré.

— Papa est distrait.

— Je sais. Attends, je crois que c'est lui.

Clung du téléphone sur le marbre, bruits de pas, sa mère se dirige vers la porte d'entrée. Les pas reviennent et sa mère ajoute, déçue et soupirant :

— Non, c'est Hans. C'est affreux comme ses vêtements sentent le tabac.

— Curieux, fait Dora.

— Bon. Tu rentres ou pas ?

— Je ne rentre pas. Et ce soir, je ne sais pas. J'irai coucher chez Audrey ou chez Bab. Tu les connais.

— Mais non, je ne les connais pas.

— Mais si, je t'en ai parlé. Bab est venue une fois à la maison.

— Peut-être. Si cela t'arrange pour tes cours.

— Tout à fait ça.

Elles raccrochent ensemble. Plutôt cool, maman. Pas vraiment les pieds sur terre.

Une bonne chose de faite. Maintenant, au cas où Ben ne lui donne pas signe de vie d'ici ce soir, ce serait étonnant, il faut prévoir un autre point de chute. La boîte où il travaille est fermée le lundi, pas possible de le joindre là-bas. Un portable, il lui faut un portable. Pas de chaîne, il dira. Tant pis. Restent les deux filles qu'elle a annoncées à sa mère. Bab, surtout. Parce qu'il est hors de question de demander l'hospitalité à Audrey. Plutôt la zone, merde. Elle répète merde plusieurs fois, comme pour relancer la machine à révolte. La pression est un peu tombée, la mère Pichon a disparu, Blain et le Naze sont partis aux antipodes, sa mère est aux anges quoique un peu inquiète que les vêtements de son fils de douze ans sentent le tabac. Il se défonce à la beuh, ton fils, maman, et il picole, en plus. Ouvre les yeux, percute, de temps en temps ! Finalement, sa colère est remontée. Parler mal est souverain, ça excite. Ses parents sont nuls. Sa mère trouve tout sympa et il est bien possible que son père soit encore à lire dans sa voiture devant le bahut. Hans leur fait les poches pour pouvoir se payer ses saloperies et elle, la grande, la belle, l'intelligente, la brillante, elle a fugué, et ce soir... Pas fugué, non, c'est plouc, ça fait téléfilm. Je me suis barrée. Voilà.

Jan Lubba est contrarié. L'article qu'il vient de lire est insipide. Long, bourré de répétitions et de citations plus ou moins pertinentes. Du remplissage pur et simple, oui. Pourtant rédigé par un de ses collègues. Et non des moindres. Une homme qui fait référence dans la région, le vice-président de son groupe de formation où lui-même enseigne. Une pointure.

Mais là, autant de banalités en trois pages, avec des références éculées à Mélanie Klein, il a vraiment dépassé la mesure. On le paie pour écrire ça ? se demande tout à coup Lubba comme si un éclair de lucidité venait de lui traverser la tête. Probablement. Et cher, si ça se trouve. Quelques centaines d'euros ? Peut-être plus. L'analisation de la connaissance gagne du terrain, même chez les psy.

Mais il hésite à condamner définitivement. Peut-être a-t-il lu trop vite. Il revient à la première page pendant qu'autour de lui les derniers élèves disparaissent. Clic, clic font les warnings pendant ce temps.

Sur la banquette arrière, Freud se trémousse. Il a ôté ses lunettes pour se frotter les paupières. Effectivement, l'article n'est pas très bon. Lourd, mal rédigé. Lui qui aimait tant la belle écriture, jadis. Le moi-peau et le pare-pulsions. Ils ont de ces concepts aujourd'hui ! Le moi-peau. Troublant. Presque poétique si on savait ce que cela signifie. Et cette Mélanie Klein qui a entraîné tous les dépressifs derrière elle ! Pourquoi a-t-elle été si agressive avec Anna ?

Freud se sent vieux. Complètement dépassé. Au bout du chemin.

Je suis mort, c'est vrai, reconnaît-il, je n'ai rien à dire, ce n'est plus mon affaire, même si je suis assis dans la voiture d'un psychanalyste austro-hongrois et que je porte un costume blanc. Et ce Lubba qui s'obstine à relire cet article médiocre ! Qu'espère-t-il y trouver ? Un sens caché ? Au moins, il reste de bonne volonté. Il se débrouille mal avec ses enfants, mais il est de bonne volonté, on ne peut pas lui enlever ça. Et d'ailleurs, pourquoi dois-je m'occuper de Lubba, pourquoi ? Aider, c'est vague, très vague. Faut-il que je le surveille, que je le protège ? Et de quoi, Seigneur ? Pourrait-on m'expliquer clairement ce que je fais dans cette voiture ?

Il a envie de fumer, mais, depuis qu'il est mort, il n'a plus de tabac sur lui. Il aperçoit des mégots de cigare plantés dans le cendrier de la Jaguar. Tiens, il fume lui aussi. Des petits cigares. Comme moi. C'est un détail, mais tout de même...

Lubba pose son article et regarde sa montre. 12h35. Il a manqué sa fille ? À moins qu'elle ne soit en retard. Il hésite un instant, mais finalement descend de voiture.

À la Vie scolaire, le concierge est seul, occupé à lire le journal.

— Excusez-moi, je suis Jan Lubba. Je cherche ma fille, Dora. Elle devait quitter le lycée à midi et je ne l'ai pas vue.

— Vous avez dit qui ?

— Dora Lubba.

— Je vais regarder.

Il se penche et soulève un gros cahier à couverture noire. Suit quelques lignes du doigt.

— Votre fille a eu des problèmes avec son professeur d'économie.

— Quel genre de problème, je vous prie ?

— J'ai : *Exclusion du cours d'économie. Mme Pichon.* C'est tout. Pas de motif.

La Piche, le papa sourit imperceptiblement. Se reprend aussitôt.

— Ma fille est où ?

— Vous m'en demandez trop. Au lycée, on n'est pas chargé de vérifier qui entre et qui sort. Avec tous ces horaires.

— Vous êtes là pour quoi, au juste ?

— Pour faire ce que je fais avec vous, monsieur. Vous renseigner.

— Je vous remercie. Je prendrai contact directement avec Mme Pichon.

— Comme vous voulez.

Et voilà un père décontenancé, presque irrité, plus par l'attitude du concierge que par l'exclusion de sa fille. Sa Dora. Où est-elle passée ? Sans doute est-elle honteuse dans son coin à méditer sur les difficultés de l'adolescence. Il faudra que je parle avec elle ce soir, se dit-il en remontant en voiture.

7

Ben est descendu du bus. Le trajet l'a mené assez loin du lycée du Parc. Il est en retard, il se met à courir. Quelques rues à traverser et il reconnaît le bâtiment, immense et long, Dora le lui a montré il y a quelques semaines. Personne devant les escaliers. Une vieille Jaguar est juste en train de déboîter et s'infiltre dans la circulation. Dora n'est pas là. Elle est partie. Elle n'a pas attendu. Il faut que je l'appelle. Il s'engage cours Vitton, puis descend dans le métro en collant une femme qui présente son sac au lecteur d'abonnement. Deux pour le prix d'un, à cette heure il n'y a jamais de contrôle. Il descend place de la Comédie, devant l'Opéra. C'est le quartier des kebabs. Il a faim. Il pourra aussi trouver un téléphone. Il commande un kebab sauce blanche. Il en mange la moitié et ça ne passe pas. De temps en temps, il lève les yeux sur la télé qui transmet un programme turc. Une grosse blonde est en train de chanter en se trémoussant par satellite jusqu'au restaurant. Ils sont aussi nuls là-bas qu'ici, se dit-il. Des filles à moitié à poil pour vendre leur salade. L'Europe est faite, pas de doute, les gars. Il sort de Pacha House sans avoir téléphoné. Il prend la rue de la République et la remonte lentement en fumant. Plus loin il passe devant l'immeuble où habite Dora. Il ralentit, mais il a peur que la jeune fille ne le voie de sa fenêtre. Il aurait l'air idiot, il ne regarde pas. Il continue. Arrivé aux jets d'eau, il se retourne et lève la tête. Il s'en veut d'avoir oublié. Dora n'est pas à sa fenêtre. Elle devrait y être, elle devrait le chercher du regard. À moins qu'elle ne soit vraiment en colère. Il file. Il a besoin de marcher. Il continue machinalement, passe devant la Fnac, traverse la place Bellecour, le vrai parcours du touriste. Il arrive dans le quartier des antiquaires. Benjamin ne s'attarde pas sur les boutiques. Son travail, c'est le vin, pas les meubles anciens. Quoiqu'il aimerait bien se reconvertir là-dedans, un jour. Il se repère. Il a besoin de voir Dora. Pour continuer de respirer, de vivre. Pour s'excuser aussi. Je suis un gros nul, il pense.

Il la serre dans ses bras à l'étouffer, c'est vrai, mais il ne lui a jamais dit qu'il l'aimait. Il n'ose pas, il a peur de passer pour un ringard. Et pourtant, Ben est fou perdu amoureux d'elle. C'est mon oxygène, je l'ai déjà dit je m'en fous et je le redis tant que je veux. Je ne devrais pas. Quinze ans et moi j'en ai sept de plus. Détournement de mineure. Mineure. Le mot le coupe en deux. Il n'y avait jamais pensé. Trois ans à attendre. Elle n'attendra jamais. Elle a tout le temps de se trouver un petit merdeux de son âge qui lui fera connaître ses parents et qui l'emmènera à Courchevel et à l'île de Ré, ou, mieux, dans la demeure de bon-papa et bonne-maman. Un type de son lycée, de son milieu, qui sort dans les soirées de la bonne société, pas une pauvre cloche comme moi qui sait à peine lire et qui gagne sa croûte dans la chourave.

Il a mal de se penser tout ça, Ben, vraiment Bad Trip, aujourd'hui, mauvais plan que son immeuble en ruine. Mauvais plan, oui, total merdier, comment je peux m'en sortir ? En faisant quoi ? Retourner à l'école, passer son bac, finir éducateur à quarante piges ? En dehors de la charpente, c'est le seul métier qu'il ait envisagé. Éduc spé. Malgré tout, son éducateur judiciaire lui a apporté quelque chose à sa sortie de prison. D'abord quelqu'un à qui parler. De tout, de la vie, d'hier, de demain. Du permis de conduire, aussi, qu'il l'a aidé à passer. Ce n'était pas une blague, il l'a, son permis de conduire. Permis B. Avec seulement six points, comme les débutants. Un permis flottant, provisoire. Peu importe, ce type lui a fait du bien. Il le revoit de temps en temps, ils boivent un coup ensemble.

Pour faire éduc, il faut... Arrête de penser à tout ça, tu es en train de te ruiner la tête. Ton taf, c'est pas la cervelle, c'est les bras. Tu connais un peu le bois, fais dans le bois. Apprends, spécialise-toi. Arrête la choure, trouve un travail normal, essaie, au moins. J'ai essayé, vérole de vérole. Y a plus de boulot dans ce bled pourri. Questions et réponses, ça tourne en rond sous ses cheveux blonds. Ça tourne en rond et ça fait mal, à chaque passage sa médiocrité lui saute aux yeux. Je suis un minable, un paumé, bientôt la rue. La rue ! Putain, mais il y est, dans la rue ! Ne lui reste plus qu'à se trouver deux cartons et c'est fait. Les Restos du cœur, Emmaüs et les autres. Je veux bosser, merde. Mais tu bosses ! Tu fais le gros bras chez Saïd cinq soirs par semaine. Le Smic, les primes, plus les combines avec tes potes. Tu gagnes pas mal finalement. Mais non, j'ai dit, fini les combines avec Rumi. En voilà un que je raye de ma liste de tarés. *Exit*, Rumi, y a plus. Ce gland avec ses boutons et son bide de feignasse. Sa bière et son air con. Qu'est-ce que je me suis collé avec un bouffon pareil ? Je suis pas plus malin que lui, au fond. Lui, il marche au RMI, regarde comme il en est fier, on dirait qu'il vient de réussir un concours. Un an de RMI et il va porter la médaille. Au lieu d'aller se cacher et de se mettre à bosser. Et l'autre Rital avec son air de fouine et son sourire à la noix.

Ben parle tout seul. Les poings enfoncés dans ses poches. Ben en a marre. Tout cela, il se l'est déjà dit cent fois, mais par bribes. Une bricole par-ci, une bricole par-là. Mais aujourd'hui, depuis sa bagarre avec Rumi, la vérité lui saute au visage dans sa totalité. Une sorte de confrontation avec son double. L'image en miroir. Je suis ce que ce mec me montre. Soyez courageux, monsieur, j'ai une pénible nouvelle à vous annoncer : vous êtes un zéro. Moins que zéro, une merde. Rien.

Ben n'en peut plus. La rage lui déchire le ventre. Il ne sait pas après quoi il en a, après le monde entier, probablement. Il se sent envahi par quelque chose d'énorme, un ouragan de haine sur lequel flotte comme elle peut, ballottée par les cris intérieurs, l'image de Dora avec ses petits cheveux blonds, ses yeux bleus, sa bouche toute douce et ses seins minuscules qu'il adore déjà, lui qui était auparavant porté sur l'abondance dans ce domaine. Et son petit triangle doré qu'il évite d'imaginer, mais, quand il n'en peut plus de se l'interdire, il le voit, trois petits poils et puis s'en vont, ce tout petit bouquet de fleurs dans lequel il aimerait tant se nicher et n'en plus sortir.

Cette fille, c'est un poussin, un bourgeon, putain qu'elle est belle. Il faut qu'il l'appelle. Où qu'elle soit, il faut qu'il la voie. Tout de suite. Vite, sinon j'arrête de respirer.

Il fouille ses poches. Pas de carte téléphonique, évidemment. Il aperçoit un bistrot. Demande un blanc en se dirigeant vers la caisse où une dame d'un certain âge, la même allure que la mère Marthelin en moins souriant, est en train de se limer les ongles.

— On peut téléphoner ?

— Local ou national ?

— Portable.

— Tarif à la minute. Deux euros.

— Vous vous emmerdez pas.

— C'est vous qui voyez.

— D'accord. Où ?

— Ici. C'est cinq euros d'avance.

Ben jette trois pièces et compose le numéro.

Dora est assise à la terrasse du Bar Américain derrière un palmier en pot. Il fait un froid de dingue, mais c'est supportable, un chauffage à gaz haut perché lui propulse de l'air chaud sur la tête. Devant elle, un Martini et un paquet de cigarettes. Elle ne fume pas d'habitude, mais elle vient de décider qu'elle allait s'y mettre. Son père fume, son frère fume, il n'y a pas de raison. Ils feront la rééducation ensemble si besoin. Maman, non, à cause de sa voix, elle a toujours un foulard de soie autour du cou. Maman la parfaite.

Dora est là, à deux cents mètres de chez elle. Elle pourrait être loin, elle ne sait même pas où. Elle s'est assise dans ce fauteuil par défaut. Autour d'elle des gens déjeunent, des petits sandwichs sont délicatement disposés devant eux. Ils ont l'air de jouer à la dînette. Des gens de l'immobilier à gauche, de la banque à droite. Ils parlent tous argent, la mère Pichon pourrait leur en boucher un coin avec ses graphiques. Elle sourit. Il faudra qu'elle lui écrive un petit mot d'excuse. Dora a été bien élevée. Elle n'aime pas les conflits. Elle gratte une allumette. L'allumette se casse. Elle essaie une nouvelle fois et un des types de la banque se précipite, briquet en effervescence et les yeux aussi. Le sourire à vous vendre un plan foireux. Dora rougit, dit merci merci, aspire une bouffée, tousse, dit encore merci. Le type va pour parler mais Dora l'écarte du bras. Dans sa poche, son portable est en train de vibrer. Elle regarde l'écran. Numéro inconnu. Un fixe en 09.

Elle décroche quand même.

— Oui.

— C'est moi.

— Ben ?

— Oui. Il faut que je te voie.

L'autre type ne s'avoue pas vaincu. Il reste là, à moitié penché sur elle, à sourire niaisement, le briquet à la main.

— Du vent, fait Dora.

— Quoi ? demande Ben à l'autre bout.

— Rien. Un mec qui me soûle.

— Qu'est-ce qu'il veut ?

— Devine. Maintenant, il veut partir, c'est tout.

Dora fait un grand geste du bras et le banquier va se recoucher.

— Ça va ? demande Ben.

— Oui. Tu es où ?

— Je ne sais pas. Victor Hugo. Dans le coin. Et toi ?

— Bar Américain. Je bois un Martini et je fume.

— Qu'est-ce que tu racontes ? Tu n'es pas chez toi ?

— Non.

— Tu fais quoi ?

— Je viens de te le dire. Je bois un Martini et je fume. À propos, je suis partie de chez moi. Enfin, je ne suis pas rentrée... (Elle se met à rire.) Et je ne rentrerai pas. Voilà.

Ben ne la croit pas. Ou il n'a pas entendu.

— Arrête. Il faut que je te voie.

— C'était midi, le rendez-vous, biquet.

— Je sais. J'ai eu à faire.

— Tu as oublié, c'est tout.

— Non. Je n'ai pas pu. Je te raconterai. On se voit quand ?

Dora aussi a envie de voir Ben. Depuis cette soirée au Double Basic, elle a toujours envie de le voir. C'est là, dans son ventre. D'autant plus aujourd'hui qu'elle vient de décider de franchir avec lui une étape capitale. Oui. C'est pour ce soir, elle se l'est promis. Mais avant, elle veut un peu se faire désirer. Juste un peu jouer à la femme. Ou ce qu'elle en sait.

— Je veux bien, mais j'ai des cours jusqu'à 16 heures. Après, on se retrouve où tu veux. Chez toi, pourquoi pas, je n'y suis jamais allée.

Chez moi ! Ben ouvre la bouche. Il y a une semaine, il aurait hurlé de joie. Aujourd'hui, il ne sait pas quoi dire, il n'a plus de chez lui, il n'est qu'un pauvre SDF, un paumé, un minable, un rien. Et elle veut venir chez moi !

— Chez moi, il répète, assommé par l'injustice.

— Oui. Sinon, ailleurs, si tu veux.

— Je préfère ailleurs, capitule Ben, les mâchoires serrées à s'en mordre l'intérieur des joues.

Finalement, ils conviennent place Bellecour, sous la queue du cheval, comme on dit à Lyon.

8

Cette vieille femme qui traverse la rue ne se rend pas compte des regards qu'elle suscite. Le mois de janvier est froid, c'est l'occasion pour Francine Kennedy de sortir ses fourrures. Elle adore les fourrures. Oscar, son mari, l'adorait. Il était très riche et très généreux. Il lui a offert un manteau chaque année. Leur mariage a duré peu de temps, vingt-quatre ans. Vingt-quatre manteaux. Oscar est mort en 74. Crise cardiaque. Trop de travail, trop de soucis, trop d'argent, trop d'excès. Ils n'ont pas eu d'enfants. Oscar voyageait énormément pour ses affaires et Francine était un peu trop futile pour envisager la maternité, c'est du moins comme cela qu'elle se juge lorsqu'elle repense à cette période de sa vie. Je me suis laissé aimer, reconnaît-elle, peut-on me le reprocher aujourd'hui ?

Chaque matin, avant de sortir, elle inspecte sa penderie et, lorsque la température le permet, elle passe ses fourrures en revue. Certaines lui plaisent plus que d'autres, mais c'est le vison qu'elle préfère. Elle en a plusieurs, d'ailleurs. L'astrakan, moins, qu'elle trouve démodé, et le loup trop starlette. En 74, le dernier manteau. Une peau rare, elle ne se souvient pas de ce que c'est parce que, celui-là, Francine ne l'a jamais porté. Il est resté emballé dans sa housse d'origine.

Si elle s'écoutait, elle porterait toujours le même, une peau magnifique, douce et luisante, un manteau bien coupé avec un large col qui lui couvre les épaules. Sans poches, sans boutonnage apparent, juste croisé. Pur. Mais, en souvenir de son mari, elle essaie de changer tous les jours. Elle s'efforce de se rappeler les circonstances de chaque cadeau. Sa mémoire commence à lui jouer des tours, parfois elle ne trouve pas, alors elle laisse le manteau de côté. Francine Kennedy a quatre-vingts ans. Elle vit seule dans son appartement rue d'Auvergne. À deux pas de la place Ampère. Un bronze au centre (André-Marie Ampère) entouré d'une pelouse, quatre courtes allées en rayon et deux bancs qui font face à la statue. Vides aujourd'hui. À quelques mètres la sortie de métro et la rue Victor-Hugo, ses passants et ses magasins, la vie.

Après avoir acheté quelques fruits et une petite miche de pain complet, elle se dirige vers le traiteur, à l'angle de la rue Franklin. Son manteau lui bat les mollets et dévoile ses bas de soie. Des bouclettes de cheveux blancs s'échappent d'une toque en vison de la même couleur que le manteau. Un sac à main à monogramme pend à son bras, mal fermé. Grande marque, un modèle ancien. Francine Kennedy marche à petits pas, son médecin lui a expliqué qu'à son âge il fallait faire un peu d'exercice, mais que toute chute pourrait avoir de graves conséquences, peut-être même une fracture. Elle fait très attention, elle a confiance en son médecin, le docteur Baldinet, qui la reçoit chaque mois à son cabinet, rue de la Charité.

Ses achats terminés, elle se dirige vers le Bar de la Place pour y prendre son *bitter*, comme elle dit. Elle aime beaucoup l'Avèze. C'est une sorte de rituel qu'elle ne manque pratiquement jamais. Bar de la Place, Chez Stan. Stan Manner est un Néo-Zélandais resté ici après un match de rugby pendant la tournée des All Blacks à la fin des années 80. La France avait été étrillée. Des litres de bière plus tard, après une bagarre dans les rues de Gerland, il avait rencontré Hélène. Ses parents tenaient le Bar de la Place, elle allait bientôt prendre la relève. Stan était resté à ses côtés. Une histoire simple. Ils ont deux enfants, deux garçons qui jouent aussi au rugby et qui font actuellement leurs études en Angleterre.

Dès que Francine entre dans le bar, Stan attrape la bouteille d'Avèze. Puis il appelle sa femme. Hélène sort de la cuisine pour l'embrasser. Invariablement, Francine demande «Oh, qu'y a-t-il de bon au déjeuner, Hélène?» La cuisinière répond aujourd'hui : «Tripes à la mode de Caen.» Francine approuve de la tête. Mais elle préfère sa tranche de jambon. Elle préfère toujours sa tranche de jambon. À sa table, l'apéritif est servi. À côté, le journal est plié. Francine sort ses lunettes, astique les verres. Le sac reste largement ouvert sur la banquette. Stan lui en fait souvent la remarque, mais Francine répond en souriant : «Ce n'est rien, vous savez, je suis une vieille femme, personne ne songerait à me dérober quoi que ce soit.»

Francine Kennedy est très riche, cela se voit tout de suite et elle n'en fait pas mystère. «C'est un cadeau de la vie, j'ai eu beaucoup de chance», dit-elle parfois. Son visage, que le temps a marqué de rides, a gardé une sorte d'innocence et de fraîcheur.

Sa lecture du journal se résume aux avis de décès. Le reste, l'actualité, elle évite. Elle ne comprend plus comment marche le monde. Parfois, une photographie l'attire. Une connaissance que son Oscar lui avait présentée il y a bien longtemps, homme d'affaires, avocat, médecin ou politique, en général elle a oublié de qui il s'agissait. Aujourd'hui, ce n'est que le nom d'un vieillard, comme elle. Mort. S'il y a un article, elle s'efforce de le lire, c'est sa façon de rester en contact avec son mari. Oh, Oscar, pourquoi m'as-tu quittée si vite?

Francine aurait pu se remarier des dizaines de fois. Veuve après avoir dépassé la quarantaine, elle avait été courtisée par de nombreux hommes, dont la plupart n'étaient pas désintéressés. Elles les avait tous évincés. Oh! Oscar. Elle avait été parfaitement heureuse avec lui, elle savait qu'elle ne retrouverait jamais pareil bonheur. Elle s'était résolue à vivre seule, alternant sa vie en ville avec quelques séjours dans leur maison du cap d'Antibes. Mais elle s'ennuie, là-bas, elle ne connaît plus personne, ses anciens voisins sont morts ou ont vendu leur propriété à des Anglais ou à des Russes. Alors qu'y faire, sinon rester des heures sur la terrasse à se perdre dans le spectacle de la mer. Quand on est seule, le plus beau des paysages est d'un ennui mortel. Mortel, oui, quand elle y repense.

Francine boit son bitter à petites gorgées. Puis elle allume une cigarette, une Craven sans filtre qu'elle fiche dans un fume-cigarette. Le docteur Baldinet a essayé de lui faire passer cette habitude, mais Francine a toujours répondu par un sourire à ses conseils.

Les tripes sentent bon, mais Francine n'est pas gourmande. En dehors du chocolat dont elle fait une grande consommation, son alimentation reste éloignée des plats compliqués. En fait, elle se prépare toujours le même repas, par lassitude plus que par goût. Il lui arrive de convier des amies à dîner. Elle se met alors en cuisine deux jours avant et cela l'épuise.

Elle sourit à Stan qui est en train d'essuyer un verre derrière le comptoir. Puis elle lève les yeux. La pendule montre 11 h 45. Francine hoche la tête, tire délicatement sur sa cigarette et laisse filer la fumée entre ses lèvres, un vieux geste de langueur qu'elle a beaucoup étudié devant son miroir lorsqu'elle était adolescente. En 36, ses parents étaient partis s'installer en Suisse où le père avait un peu de famille. Les nouvelles d'Allemagne étaient alarmantes et la mère de Francine était juive. Puis la guerre avait explosé, on avait survécu tant bien que mal et, quelques années plus tard, à dix-neuf ans, elle avait rencontré Oscar à un bal de la Croix-Rouge. Oscar était beaucoup plus vieux qu'elle, bien entendu. Il était dans les affaires, Francine n'avait jamais su exactement de quelles affaires il s'agissait, mais il était si gentil, si courtois, si amoureux. Ils s'étaient mariés un an plus tard.

Francine écrase soigneusement sa cigarette à moitié fumée. Boit une gorgée de bitter. Remarque la trace de rouge à lèvres sur le verre. Elle trouve cela très féminin. Elle laisse un billet dont elle n'attend aucune monnaie et se lève. Le cérémonial du départ est un peu le même qu'à l'arrivée. D'abord Hélène qui lui propose une portion de tripes, presque pour rire. Puis Stanley sort de derrière son comptoir. Tous les deux l'embrassent. À demain, madame Kennedy.

Ben a bu plusieurs verres. Il n'a pas vraiment soif, mais le blanc, c'est comme ça, quand on commence à taper dedans, c'est difficile de s'arrêter. En partant il s'est un peu brassé avec la patronne à qui il reprochait toujours le prix exorbitant de son téléphone, mais la femme est restée imperturbable, espèce de minable, paie tes verres et dégage. Elle ne l'a pas dit mais elle l'a pensé si fort que Ben a eu des démangeaisons dans la main. Il devient violent, après le vin blanc. Dora a dit 4 heures. Qu'est-ce que je vais faire ? Il ne sait pas où aller. Il a bien quelques copains ici ou là, mais pas assez proches pour s'amener sans prévenir. D'ailleurs, ils travaillent tous. Ou presque. Ceux du Double Basic, la discothèque de Saïd, il ne faut même pas y penser, ils habitent tous en banlieue.

Ben reste à glander dans la rue, regarde les devantures. Il s'arrête longuement devant un marchand de vin. Vinothèque, c'est marqué. Waouh, on se la joue. Il lit toutes les étiquettes, il en connaît certaines. Il a beaucoup appris, il apprend vite, il s'est documenté sur les grands domaines, les cépages, la législation des AOC. Il est en terrain connu, mais il ne peut pas rester planté là pendant deux heures à fumer et à apprendre les prix par cœur. À ce sujet, ils n'ont pas peur, dans le coin, Marco non plus, d'ailleurs. Il faudra lui parler du pays, à l'occasion. Puis il pense à Rumi. Bien sûr qu'il l'a arnaqué, mais vu sa maigre participation aux opérations, Ben a jugé qu'il ne méritait pas mieux. Qu'il râle, j'en ai rien à cirer. De toute façon j'arrête tout ça. Tomber une seconde fois, c'est du temps perdu. Ben n'est pas foncièrement honnête, mais quelques vieilles valeurs viennent de temps en temps lui chatouiller la conscience. Et puis l'argent, au fond, il s'en fout.

Un instant il pense à aller au cinéma, mais il faut retourner dans le centre, il en a marre de marcher et il a mal aux pieds. Le lézard, c'est super quand on est assis et que la tige de la botte dépasse un peu du jean. Pour marcher longtemps, mieux vaut des Nike, comme tout le monde.

Ben change de rue et entre dans un nouveau bistrot. Il commande un demi pour changer. Grignote une poignée d'amandes salées qui lui donnent encore plus soif. Et toujours cette boule dans le ventre qui ne le quitte pas depuis vendredi, depuis que son appartement est parti en vrille. Il songe un instant à ses meubles déménagés par une entreprise qui, heureusement, fait garde-meuble. Le reçu lui brûle la poche. Jusqu'à quand ? Justement, il faudrait qu'il passe à la régie pour voir ce qu'ils comptent faire. Certainement rien, la secrétaire qui s'occupe de son trou à rats a dû jeter tous les dossiers à la poubelle. Saloperie.

Il demande le téléphone et fouille dans son portefeuille pour trouver le numéro.

C'est le parcours obligé. D'abord, ça sonne, normal. Puis il y a le laïus du serveur, sûrement une blonde, ensuite la mélodie du bonheur, des bip de partout et «Toutes les lignes de votre correspondant sont occupées. Merci de rappeler ultérieurement». Puis une sonnerie et elle décroche. Elle allait prendre sa pause mais bon. Merci.

Il explique, elle dit oui oui. Il demande, elle dit qu'il faut du temps, qu'ils vont prendre des décisions rapidement. Quand ? Elle ne sait pas trop quoi répondre. Ben ne se reconnaît pas, il a envie de hurler, ça monte, ça monte, mais il se maîtrise, ils discutent calmement. La dame dit qu'elle comprend, mais Ben se méfie. Il insiste et elle lâche que tout va être fait pour lui trouver un logement dans les quinze jours. Quinze jours ! Et pendant ce temps, je fais quoi ? Ne vous inquiétez pas, cette affaire se réglera entre les assurances. Si vous allez à l'hôtel, tout vous sera remboursé intégralement, nous vous le promettons. Ben est scié. Elle pense qu'il va la croire ? Au lieu d'exploser le téléphone contre la vitre, il dit c'est parfait, je vous remercie, mais vous pourriez m'écrire tout ça noir sur blanc, qu'il n'y ait pas de malentendu par la suite ? Pas de problème, elle dit, Ben la voit presque sourire, je vous fais ça immédiatement. Vous pouvez passer tout de suite ? Si je peux ? Je cours. Ben sort du bar sans finir son demi, c'est dire.

Dès qu'elle a raccroché, Dora s'en veut d'avoir raconté des salades à son homme. Ben, c'est son homme, on est d'accord ? Oui, on est d'accord, il a quand même sept ans et trois mois de plus que toi, ma vieille, et la suite ne va pas être facile. Benjamin, ce n'est pas le parti rêvé, imagine maman, quand elle va apprendre ça, elle va faire une embolie, c'est une artiste, n'oublie pas. Merde, c'est ma vie ! Oui, mais tu as quinze ans, tu ne connais rien à rien. Eh bien, je vais apprendre. Et Ben, il connaît tout ? Il en connaît plus long que toi, ma petite. Sauf en économie et en latin, sûr. Même, il ne faut pas que je lui mente. Le faire un peu mariner, je veux bien. Jusqu'à 4 heures. Et Bab qui ne rappelle pas. Elle déjeunait chez sa grand-mère, lui a dit la femme de ménage. Tu parles, je la vois d'ici, la grand-mère, un mètre quatre-vingts, des épaules de culturiste et un regard de crétin, Dora connaît les goûts de sa copine en la matière.

Alors, pour continuer à réfléchir sur son cas, la voilà à boire un deuxième Martini. Elle a froid dans ses Puma, mais son crâne est bouillant à cause du chauffage. Deux types sont venus la voir. Un vieux lui a proposé de l'argent pour une activité sexuelle qu'elle n'a pas comprise. Elle a rougi et l'homme est parti en souriant. Et un autre, en fait un serveur qu'elle n'a pas reconnu parce qu'il était en civil. Lui, c'était pour un ciné et une pizza. Pas envie, pas faim. Salut. Après-midi prise de tête, en somme. Elle hésite à allumer une cinquième cigarette. Elle a un peu envie de vomir. Elle sourit pourtant. Sensation bizarre. La liberté, c'est cool, pas de doute, mais il faut en faire quelque chose. Et si elle allait en cours, finalement ?

Ben est planté devant la secrétaire de la régie. Il lit la feuille qu'elle lui a demandé de signer. Il a peine à y croire, tout est écrit. Remboursement des frais d'hébergement éventuels, de déménagement... Parce qu'il va falloir payer d'abord ? Hélas oui, mais rassurez-vous, toutes les démarches seront faites en un mois, maximum. Il s'apprête à signer quand il lit : «... donne tout mandat par la présente à la régie Immogest pour la réalisation du nouveau bail». Plus loin, en petits caractères : «Le signataire ne saurait refuser plus de trois appartements proposés sous peine de voir son bail automatiquement dénoncé...»

— Ça veut dire quoi *ne saurait refuser ?*

— Cela veut dire que nous allons vous proposer plusieurs locations. La loi nous y oblige. Et vous, vous serez obligé d'en accepter une parmi celles-ci. C'est tout.

— Je pourrai choisir le quartier ?

— C'est-à-dire que… notre parc de logements vacants est assez réduit, monsieur Trep.

— Pas en banlieue, en tout cas, je n'ai pas de voiture et je travaille dans le centre.

— Je vois.

— Voyez bien.

— Je vais faire le maximum. Vous avez signé ?

Ben hésite. Il tripote le stylo qu'elle lui a mis dans la main. Il a l'impression qu'il est en train de se faire avoir. Il ne fait confiance à personne, de toute façon. Et cette fille a tout ce qu'il faut pour vendre des rollers à un grabataire. Il relit encore une fois. Je n'ai pas le choix, se dit-il. Il hésite, la regarde, elle a l'air sincère, non ? Il signe.

La secrétaire lui arrache presque le papier des mains et le range aussitôt dans une chemise. Puis elle se lève et sort du bureau. Elle revient deux minutes plus tard accompagnée d'un jeune type, costume sombre, cravate et col ouvert genre commercial surmené. Elle le présente :

— Monsieur Pedretti, notre chargé d'affaires.

Serrement de main.

— Bonjour, fait Pedretti, l'assurance sans le charme.

— Bonjour.

— Mauvais plan, votre immeuble, n'est-ce pas ?

— Qu'est-ce que vous me proposez ?

Monsieur Pedretti se passe quelques doigts sur le menton. Signe de réflexion un peu trop voyant, Ben le comprend tout de suite. Une méchante intuition lui envahit la tête. Ils vont m'envoyer à quarante bornes, les salauds.

— Bien, j'ai quelques possibilités à vous présenter. Venez dans mon bureau.

Ben le suit.

Pedretti est un vrai commercial. Ce qu'il veut, c'est se débarrasser de ce type de locataire. Maintenant que la plupart des immeubles de la Croix-Rousse vont être réhabilités ou reconstruits, la direction demande des personnes fiables, propres, et d'un niveau social meilleur. Genre bobo, si tu vois. Ce Trep n'a pas le profil idéal. Il n'a pas de répondant, il a un emploi fragile, des revenus modestes et un look de zonard. Vu le prix des loyers en centre-ville, il n'a aucune chance. Donc, à dégager. Comme vont dégager les vieux et les Tunisiens, bien sûr. C'est ça, le boulot de Pedretti. Profiter de toutes les occasions, et l'immeuble en train de s'écrouler en est une bonne. Puis proposer l'inacceptable, qui bien entendu ne sera pas accepté, dénoncer le bail, conclure avec eux un arrangement financier dans lequel la régie et les propriétaires qu'elle représente perdent le moins d'argent possible et voilà le travail.

Quel con je suis d'avoir signé. Ben le sait, il s'est fait rouler. L'attitude de Pedretti confirme ce que Ben pense de lui-même. Petit sourire, décontraction, le chargé d'affaires joue avec la souris de son ordinateur. Effectivement, c'est la banlieue, et la plus moche, la plus dangereuse, la plus loin. Et le loyer est majoré de trente pour cent, les charges, ascenseur, espaces verts et compagnie. Rien à foutre des espaces verts. Et le gardiennage. Rien à foutre non plus. Ben explose, gesticule, menace. Les deux hommes restent une heure à crier. Ben s'arrête juste avant de lui balancer le bureau dans les dents. Il sort en vociférant, mais Pedretti est content. Le bail sera dénoncé dans six mois conformément à la loi sur l'expropriation pour insalubrité et danger immédiat. Ben ne sait pas si une telle loi existe, mais il est ulcéré. Ne reste que l'assistante sociale, l'ami. Et dépêche-toi, six mois, c'est vite passé.

Ben est dehors. Il hurle encore.

Un malheur n'arrive jamais seul, c'est connu. Il traverse en biais la place des Cordeliers, marchant vite, la tête penchée. En montant sur le trottoir à la hauteur de la station de taxis, il rentre presque dans deux flics en patrouille. Qui lui font la vérification d'identité surprise. Le blouson, le jean, les bottes, le visage crispé par la colère, c'est suffisant. Il lui manque seulement les cheveux frisés. Ben n'en peut plus. Vu son casier judiciaire, il sait qu'il ne doit pas faire le malin. Il se comprime la poche à violence qui a tellement envie d'exploser. Merci, monsieur l'agent, d'accord, monsieur l'agent, alors que le second flic est en train de lui faire la morale sur sa manière de circuler et tout, en train de le cher-cher, oui. Je marche comme je veux et je t'emmerde, mon pote, crie Ben au fond de son ventre. Il essaie de sourire, y parvient mal, plutôt rictus qu'autre chose. Il s'en tire sans avoir prononcé les mots qui fâchent, salopes de keufs.

Ben est dans un état de tension extrême. Il s'arrête dans un bar. Puis dans un autre. L'heure tourne. Il explique dans le troisième ce qui lui arrive. Le barman comprend, tous des pourris, il dit, c'est le fric qui pourrit tout. Ben hoche la tête, avale ses ballons de blanc. Ben est ivre. Ben a mal. Un autre bar. Il trébuche contre le porte-parapluies. Donne un coup de pied dedans. Une serveuse essaie de le calmer, il se rend compte à temps qu'il s'agit d'une jeune fille. Elle ressemble un peu à Dora, en plus vieux, il parvient à se maîtriser. Il ressort.

Dehors, la grisaille commence à imiter la nuit qui tombe.

9

Dora est finalement allée en cours. Elle s'est dit que c'est encore au lycée qu'elle aurait le plus la paix. Le pion de service lui a tendu un mot à faire signer par Blain. Le carnet à récupérer. Évidemment. Dora monte l'escalier. Elle s'en fout, de Blain.

— Mademoiselle Lubba, on m'a dit que vous vous étiez comportée avec insolence en cours d'économie. Expliquez-moi ce qui s'est passé.

Bien le genre de Blain. Discuter, arrondir les angles, un vrai diplomate.

— C'est simple. Le cours était un peu ennuyeux, je me suis mise à rêvasser et voilà. Mme Pichon m'a fait une remarque. Un mot en entraîne un autre. Je vais lui écrire une lettre d'excuses.

— Parfait.

Il lui tend son carnet de correspondance et ajoute :

— Pour vos parents.

Comme si elle avait le choix.

— Si vous voulez.

— C'est la coutume, vous savez.

— Les coutumes font les cultures, j'ai appris ça en géographie.

— Votre ironie est déplacée, mademoiselle.

— L'ironie est toujours déplacée quand on l'utilise face à un supérieur.

— Vous aurez trois heures de colle mercredi prochain.

Dont une de ma part pour vous apprendre à tenir votre langue lorsqu'on vous fait des reproches justifiés. Avec un devoir à rendre à la fin. Mme Pichon vous fera passer le sujet. C'est tout.

— Merci beaucoup.

Après tout ça, une heure de français et une d'anglais. À 15 h 40, Dora quitte le lycée comme une fusée.

Pour le goûter, Francine Kennedy a eu envie d'un chocolat chaud. Elle a cherché dans ses placards et elle s'est aperçue qu'elle n'en avait plus. Malgré le froid, elle s'est dit qu'une petite promenade à l'épicerie ne pourrait pas lui faire de mal. Il est bientôt 4 heures, elle vient de voir deux séries américaines coup sur coup sur une chaîne du câble et elle se sent un peu embrumée par toute cette violence, d'autant qu'elle n'a pas bien compris les histoires. Elle remet son manteau, laisse son sac et garde simplement son porte-monnaie.

Dehors, il fait gris-blanc. Elle traverse la place, longe son bar favori et fait un petit signe de la main à Hélène qui est en train de feuilleter une revue. Il n'y a personne à cette heure. Plus loin, c'est l'épicerie. Avant, c'était deux personnes âgées qui la tenaient. Pas très aimables, en réalité, mais, comme c'était l'alimentation la plus proche, il fallait bien s'en contenter. Le monsieur était fatigué, il ne livrait plus, tout cela était bien ennuyeux. Et aujourd'hui, c'est devenu une épicerie arabe. Il y a le grand-père, les parents, les enfants et les cousins. Tout le monde rigole, les marchandises sont bien rangées, beaucoup plus chères qu'avant, bien sûr, mais ils sont si gentils. Et ils livrent. Pour une boîte de chocolat en poudre elle ne veut pas les déranger. Il y a une chaise près de la caisse. Francine s'y installe souvent, histoire de se reposer. Elle discute un peu avec les patrons, ils sont accueillants. Ils viennent de Constantine. Une fois, la maman lui a offert du thé à la menthe.

Francine fait toujours grosse impression avec ses manteaux de fourrure. Les jeunes ne comprennent pas vraiment à quoi ça sert d'avoir autant de manteaux, mais ils ont saisi l'essentiel, la mémé est blindée. Reine du bail, ils l'appellent en se marrant. Francine n'entend pas et sourit. Elle se déplace lentement, elle connaît bien les lieux, elle sait où se trouve le chocolat. Elle s'arrête devant les produits d'entretien. Ah. Elle tourne à droite, tombe sur des stocks de mouchoirs en papier, plus loin, les shampoings, et maintenant, en face d'elle, des articles ménagers, quelques casseroles et des couverts à manche rouge. Étonnée. Tiens, ils ont changé le chocolat de place, se dit-elle.

Seize heures. Dora est arrivée la première place Bellecour, devant la statue de Louis XIV. Elle boutonne sa parka. Elle a froid, elle n'a rien mangé à midi, un truc à faire flipper son père avec son fantasme d'anorexie chronique. C'est son problème. Elle devrait l'appeler. Non, pas maintenant, il doit être en pleine séance d'analyse. Marrant, comme métier. Enfin, elle se dit que c'est marrant, elle aurait pu se dire autre chose, passionnant, intéressant, mystérieux. Elle s'en fout un peu. Bien qu'elle admire son père. Non, je l'admire parce que c'est mon père. C'est toute la différence.

Ben est en retard. Il a tort d'être en retard, le biquet, parce que ce soir, c'est la grande fête. Il ne le sait pas encore. On verra bien. Pour l'instant, elle guette.

À la discothèque, Ben évite l'alcool. Dora a sa place, une petite table dans un angle. Elle aime le suivre du regard et elle lui sourit quand il vient la rejoindre. Ils discutent, main dans la main, ils boivent du Coca, ils s'embrassent parfois. Le samedi, Ben se tient tranquille quand Dora est là. Il ne râle jamais, il est poli avec les clients, il leur sourit. Saïd, le patron, trouve que cette petite a une bonne influence sur lui. Mais depuis septembre Dora a bien remarqué que Ben avait tendance à boire. Plus que son père. Parce que papa n'est pas le dernier à s'enfiler des verres avec ses copains. Pas le dernier à dire des conneries non plus. Tous les vieux disent des conneries. Autant que les jeunes. Alors, leur morale, ils se la gardent. Comme le Blain avec son air de curé défroqué, tu as vu, dès que j'ai balancé, il n'a pas supporté. Trois heures de colle. Blain, t'es un minus. Qu'est-ce qu'il fait, je me gèle.

Oui, Dora sait que Ben aime trop le vin blanc. Elle l'a déjà vu dans des états avancés. Mais aujourd'hui, lorsqu'elle le voit arriver, blouson ouvert, elle prend peur. De loin, dans le gris de l'hiver, elle l'entend presque parler à haute voix. Dora est en alerte, l'instinct au bout de ses antennes. Elle n'aime pas ça. Elle a peur.

De près, c'est encore pire. Il a les traits tirés, il n'est pas rasé et ses cheveux sont en désordre.

— Qu'est-ce qui se passe, biquet ? demande Dora en s'efforçant de ne pas sentir son haleine de vinasse.

— M'appelle plus biquet. Marre de biquet. Je ne suis pas un biquet.

— C'est gentil, biquet.

— Je sais. Mais marre.

Il referme son blouson. Il la regarde. Il la trouve sublime avec ses cheveux courts que le vent du nord agite, avec son corps si frêle dans sa parka noire. Bon Dieu qu'il l'aime, cette merdeuse. Mais il ne peut pas le lui dire. Pas aujourd'hui, c'est impossible, aujourd'hui, tout est impossible, tout est naze.

— Dora, je suis en pleine galère.

— Qu'est-ce qui se passe ?

— Il se passe que merde, j'ai tout perdu, voilà ce qui se passe.

— Tout perdu quoi ? demande Dora qui n'a jamais rien perdu d'important.

— Tout, je te dis.

— Je suis là, moi.

— Oui. Merci. Le biquet et la biquette de quinze ans. Marre du biquet.

— Ben, explique-moi. J'ai froid.

— Moi aussi.

Ils avancent, elle le soutient comme elle peut, il fait une bonne tête de plus qu'elle et il s'appuie contre son épaule.

— On va où ? demande Dora.

— J'en sais rien. On marche.

— D'accord, on marche.

Ils ont choisi la rue Victor-Hugo. Au milieu, il essaie de rouler une cigarette, mais il tremble trop. Dora sort son paquet de sa poche.

— Tu fumes, maintenant ?

— Oui. J'ai décidé de changer des tas de choses aujourd'hui. Tu n'es pas au bout de tes surprises.

— Oh, arrête avec tes surprises. Marre des surprises.

— Quand tu sauras ce que c'est...

— Marre, je te dis. On marche.

— On marche.

Francine Kennedy est restée plus longtemps que prévu dans l'épicerie. Elle est un peu tourmentée, elle leur a demandé pourquoi ils avaient changé la disposition des marchandises dans le magasin. « J'étais un peu perdue », a-t-elle avoué, comme en s'excusant. Tout le monde a ri, ce n'est pas la première fois qu'elle se trompe de rayon, mais te moque pas, a dit la maman à son plus jeune fils, tu verras quand tu auras son âge. Ensuite, on lui a donné la recette du vrai chocolat chaud. À chacun sa variante, lait ou crème, avec ou sans eau, un peu de cannelle, un cousin a même parlé d'ajouter un clou de girofle pour parfumer, tout cela l'a rendue perplexe. Francine a encore souri et l'a gentiment remercié. Mais des clous de girofle dans le chocolat, non merci.

Il s'est mis à neiger et pourtant la météo ne l'avait pas prévu avant demain matin. Francine regarde souvent la météo. À cause des fourrures. Des petits flocons pas très serrés. Pour l'instant ils disparaissent à peine touchent-ils le sol. Sauf sur le gazon de la place qui est en train de se teinter de blanc. Francine aime la neige. Elle s'arrête un instant sur le trottoir.

L'état de Ben s'est un peu amélioré. Le calme de Dora y est pour beaucoup. Elle l'a questionné, mais Ben répond par monosyllabes. Il a essayé de lui parler de son appartement. Elle n'a rien compris. C'est trop embrouillé, un escalier cassé, un immeuble neuf, un type qui s'appelle Pedretti. Un salaud. Et elle ne connaît pas la rue Dumenge. À chaque nouvelle question, il se referme un peu plus, il bougonne, il fait mine de se dégager du bras qui entoure sa taille. Depuis quelques minutes, la neige s'est mise à tomber.

— Manquait plus que cette saloperie de neige, il râle.

Dora commence à trouver sa grande décision un peu prématurée.

Ils arrivent place Ampère. Dora habite rue de la République, de l'autre côté. Elle aimerait faire demi-tour et l'amener chez elle. Ses parents ne diront rien, elle le sait. De toute façon, cette semaine, sa mère chante tous les soirs, elle est sans doute déjà partie à l'Opéra. Quant à son père, il termine son cabinet tard. C'est variable, mais jamais avant 20 heures. Hans ne sera pas content, mais Hans, on s'en fout. Devant eux, sur le trottoir, une vieille femme paraît en contemplation devant la statue.

Ben s'arrête tout à coup.

— Passe-moi ton portable. Je vais appeler les Marthelin.

Ils se sont abrités sous le store d'un magasin de vêtements. Il reste encore des décorations de Noël accrochées çà et là.

Dora sait tout des Marthelin. Il ne les lui a pas encore présentés, malgré l'envie qu'il en a. Encore une histoire de torchons et de serviettes, sûrement. Dora s'est un peu écartée. Elle allume une cigarette. Elle a pris le geste, fumer dans la rue, ça donne de l'assurance.

Le portable à l'oreille, Ben écoute. Son visage déjà tendu vient d'encaisser un coup de malheur.

— Non ? il fait.

Puis il se détourne et va parler un peu plus loin. Revient. Lui tend le téléphone.

— C'est le vieux, dit-il. Il a fait un malaise au boulot ce matin. Il est à l'hôpital. Sandrine m'a dit qu'il ne lui fallait pas de visite. Et que pour ce soir, c'était pas le jour, quoi.

Sandrine, la fille aînée des Marthelin. Dora la connaît presque tellement il lui en parle. Ben va mal. Son visage s'est durci, d'un coup. Le syndrome de la goutte d'eau. Il se plante devant elle. Il a l'air désespéré.

— Écoute, Dora, le mieux, c'est que tu rentres chez toi.

— Pourquoi, c'est le mieux ?

— Parce que je sens que je vais exploser. Et ce n'est pas la place d'une gamine à côté d'un naze comme moi.

— Tu n'es pas un naze, Benjamin. Et je veux rester avec toi.

— Non. Je ne sais pas où coucher ce soir. Voilà. Je n'ai plus d'appartement.

— Qu'est-ce qui s'est passé ?

— L'immeuble d'à côté a été démoli, je t'ai dit. Celui où j'habite a pris un coup. Tout lézardé. J'ai été expulsé. Depuis vendredi.

— Pourquoi tu ne m'en as pas parlé ?

— Parce que tu es une merdeuse de quinze ans.

— Non, je ne suis pas une merdeuse. J'ai quinze ans, c'est tout.

— Tu parles.

Dora ne répond pas, soudain distraite. Quelqu'un vient de passer devant elle, une ombre, elle a vaguement perçu un reflet brillant, comme des verres de lunettes, sans plus. Elle se demande rapidement pourquoi elle ressent cette impression bizarre, il n'y a personne autour d'elle.

Elle revient à la réalité. Sans réfléchir elle lance :

— Ben, j'ai décidé de quitter mes parents.

— Qu'est-ce que tu racontes ?

— Je viens de te le dire. C'est comme une fugue, mais en moins...

— En moins quoi ?

— Je ne sais pas. Voilà.

Ben la regarde comme s'il la découvrait.

— En quel honneur ?

— Rien. Des tas de trucs. Une embrouille au lycée.

Les parents, le lycée, tout ça c'est un mystère pour Ben.

— Admettons, dit-il. Mais ça n'arrange pas mes affaires. Je suis toujours à la rue.

— J'ai quinze ans, mais je peux t'aider.

— Et comment ?

— Viens dormir à la maison.

— Tu as fugué, tu viens de me dire.

— Je sais. Il y a fugué et fugué, biquet.

Dans son élan, Dora s'est lâchée, c'est fait. Elle n'a pas pu se retenir, elle l'aime, son Ben. Peut-être trop, va savoir. Elle l'aime, elle ne sait même pas pourquoi. Elle le trouve beau, super fort, en plus il a un regard très doux, il est généreux, affectueux, intelligent, il sait des tas de choses. D'accord, aujourd'hui, ce n'est pas la grande forme. Elle s'en moque. Même faible, elle l'aime. Elle est là. Elle est forte. Elle se sent une vraie femme à côté de lui, et ça, ça veut dire qu'elle l'aime, voilà la réponse. C'est aussi simple. Elle veut aussi tirer au clair cette histoire d'appartement. Papa aura bien un avis sur la question, il a un avis sur tout, d'habitude. Oui, elle va l'aider.

Enfin, tout ça, ce sont des mots. À l'intérieur d'elle, tout au fond, là où elle range papa et maman et sa vie de petite fille, elle se dit qu'elle n'est peut-être pas encore tout à fait prête pour affronter des problèmes pareils. Ou peut-être que si ?

Ben réfléchit. La tourmente passe sur son visage, Dora ne sait plus quoi dire. Elle a un peu peur mais elle s'accroche, elle le prend dans ses bras. Une vraie femme ferait ça. Il la repousse légèrement, mais elle le serre davantage, elle sent bien que son corps lui fait du bien. Elle l'aime, son Ben. Et lui, est-ce qu'il m'aime ?

Oh oui, s'il pouvait le lui dire. Mais il ne peut pas. On ne sait pas dire des mots pareils quand on a été bringuebalé toute son enfance sans les avoir jamais entendus. Ben a envie de parler, mais en même temps une force mauvaise le fait taire, la trouille de dire n'importe quoi, ou de dire quelque chose de trop important. On est comme ça quand on est un gosse abandonné. On a toujours peur des sentiments que l'on ressent, alors les dire, c'est jouer sa peau sur une seule phrase. Jamais. Plutôt crever.

Ben se dégage. Il regarde Dora. Puis il tourne la tête de l'autre côté de la rue.

Il semble avoir pris une décision. Méfie-toi, Ben, toutes les décisions que tu as prises sans réfléchir n'ont pas été bonnes, tu le sais. Il le sait mais en même temps il ne le sait pas. Son regard vient de se poser sur la vieille femme qui contemple toujours la statue.

— Je n'ai jamais eu de grand-mère, il murmure dans un nuage de vapeur.

— Quoi ?

— Rien. Viens, puisque tu veux venir avec moi.

— Qu'est-ce que tu vas faire ?

— Tu vas voir.

10

Francine trouve que la place Ampère est beaucoup plus belle sous la neige. Mais il fait un peu froid. Elle va rentrer chez elle et se faire un bon chocolat. Soudain on lui prend le bras. Elle tourne la tête. Un jeune homme est à côté d'elle. Il a le visage des gens qui ont faim. Elle ne sait pas pourquoi cette idée lui a traversé la tête, mais c'est ce qu'elle a pensé tout de suite. Juste avant il y avait eu une autre image, mais elle s'est envolée. Quelque chose de bizarre qui s'est passé il y a quelques jours, un événement anormal, ça, oui. Elle avait eu peur mais elle a oublié. Elle voudrait s'en souvenir, prendre le temps de fouiller sa mémoire, mais déjà le jeune homme se penche vers elle.

— Vous habitez dans le quartier, madame ?

La voix est polie, mais elle sent une violence derrière la question.

— Oui. La petite rue, là-bas.

Elle montre de la main la rue d'Auvergne. Que peut-elle répondre d'autre ?

— Vous vivez avec quelqu'un ?

— Mais non, jeune homme. Je vis toute seule.

— Alors c'est bien. Je vous accompagne.

Francine entend une voix de fille, sur sa gauche :

— Non, Ben, laisse. On va aller chez moi. Allez, viens.

Une très jeune fille. Qui a l'air inquiète.

— Non, dit Ben.

— Viens, dit la jeune fille.

— Rentre chez tes parents.

— Je veux rester avec toi.

— On y va.

Francine Kennedy n'a pas encore peur. Elle n'a pas encore réalisé que ces deux jeunes gens sont en train de l'enlever.

Rapidement, Freud s'est arrêté de marcher. Il s'est retourné et observe les jeunes gens. Voilà donc la petite Dora, la fille de Lubba, toute menue et blondette. Il repense immédiatement à la jeune femme des *Cinq psychanalyses* qu'il a traitée en 1900 et qu'il a appelée Dora (son vrai nom, c'était Ida, Ida Bauer) pour préserver son anonymat. Une jeune femme perdue entre ses fantasmes et ses maux de gorge qu'il n'a d'ailleurs pas réussi à soigner malgré tous ses efforts. Je me suis totalement trompé, en fin de compte, se dit-il.

Faut-il que je fasse mieux avec cette petite-là ? Faut-il que je répare quelque chose que je n'ai pas su réparer avant ? Je suis peut-être là pour cela. Mon Dieu ! Elle n'a pas l'air névrosée, elle paraît plutôt bien dans sa peau, mais que fait-elle avec ce petit voyou qui ne tient pas en place ? Le jeune homme plie et déplie les doigts comme s'il se lavait les mains dans les flocons de neige. Il paraît très angoissé. En colère aussi. Elle essaie de le calmer, parfois elle lui prend le bras et se presse contre le cuir de son blouson. Elle se penche et lui parle à l'oreille. Lui fait souvent non, regarde au loin.

Tiens, ils accompagnent la vieille femme. C'est la grand-mère de la petite ?

Ben se met en mouvement, entraînant Mme Kennedy. Ils avancent lentement, la neige commence à tenir sur le trottoir. Ils traversent la place. Puis ils arrivent devant l'immeuble. Numéro sept. Galerie Ampère. Oh, pense Dora en faisant la grimace : la vitrine expose sur fond noir la reproduction géante d'une orange tassée sur un lit de moisissures blanches et vertes. Il faut être malade pour prendre des photos pareilles, elle détourne vite les yeux pour essayer de capter autour d'elle des morceaux de réalité auxquels se raccrocher. Elle ne sait pas quoi faire, elle sent que la situation est en train de mal tourner.

Ça envoie, a jugé Ben, mais c'est dégueulasse. De l'art dégueulasse, oui.

Francine ne bouge pas la tête. Habituée, sans doute. La porte d'allée est équipée d'un interphone. À coté, une plaque : SIF-Conseil en Investissement.

Francine a hésité pour trouver la minuterie. Cela lui arrive parfois lorsqu'elle est distraite, et aujourd'hui, elle est carrément déboussolée. Le hall s'illumine enfin. La jeune fille lui sourit. Gentille, cette petite.

— C'est au quatrième, dit Francine.

Elle avance et ajoute, rassurée par l'alignement familier des boîtes aux lettres :

— L'ascenseur est vieux, il est comme moi.

Effectivement il grince, il geint, il craque. Ils arrivent au quatrième.

Une belle porte en chêne à deux battants, pile devant l'ascenseur. Sur le palier il y a deux autres portes, mais des plantes vertes sont placées devant. Elle a tout l'étage, la grandmère, se dit Ben, qui sent l'angoisse lui tailler l'estomac.

À l'intérieur, le parquet brille. Tout de suite, un large vestibule sur lequel donnent plusieurs portes de couleur crème et ornées de moulures. Après quelques pas, on débouche sur un immense salon éclairé par six fenêtres à doubles rideaux qui donnent sur la rue. Tout au fond, un coin salle à manger majestueux avec des chaises à haut dossier.

Ben écarquille les yeux. Putain d'appart. Il n'en a jamais vu de pareil, sauf peut-être au ciné. Il se sent tout à coup intimidé. Il n'aime pas cette sensation. Il lâche le bras de Francine et s'affale dans un fauteuil à pieds torses.

Dora est restée debout à côté de la vieille femme.

— On fait quoi, maintenant ? demande la jeune fille.

— Je suis crevé et j'ai faim, répond Ben.

— On devrait aller chez moi.

Ben est furieux.

— Tu as voulu venir avec moi, hein ? Maintenant, on reste. Il est super, cet appartement, juste ce qu'il me faudrait.

— Il est trop grand pour moi, soupire Francine.

Ben est en train de tout foutre en l'air, sa vie, Dora, tout. Il en a conscience, mais il n'en peut plus, c'est trop, ce qui lui arrive, son immeuble en ruine, Rumi et ses dreads de mickey, Pedretti, les coups de blanc, le père Marthelin en train de crever, la limite est dépassée, comment supporter plus ? Et pourtant, il faut qu'il s'arrête, il faut qu'il redevienne ce qu'il était il y quelques heures, un Ben sympa qui avait juste pris des décisions pour changer sa vie, Dora, je te demande pardon. Et il ne sait pas faire, il n'a jamais eu l'occasion de changer sa vie pour quelqu'un, personne ne le lui a demandé avant, remarque. Dora, je te demande pardon. Il ignore tout, presque tout. Alors il détruit ce qu'il aime le plus au monde, il ne peut pas s'en empêcher, c'est une force mauvaise qui commande les mots qu'il prononce, il ne la connaît que trop bien, celle qui lui fait tordre la bouche et se moquer de tout. Dora, je te demande pardon.

Mais la brèche est ouverte.

— Tu vois, Dora, c'est trop grand pour elle. On va lui faire un peu de compagnie. Vous êtes d'accord, grand-mère ?

Dora baisse la tête.

Francine ne sait pas trop. Pas plus qu'elle ne sait si elle doit enlever son manteau qui commence à lui peser sur les épaules. Elle est trop surprise pour penser. Finalement, elle se décide, il va faire chaud dans un moment, elle pose son vison sur le canapé et se dirige vers un fauteuil. Elle marche lentement, même chez elle, depuis que le docteur Baldinet lui a dit qu'il fallait se méfier des trottoirs, des parquets, des tapis, de tout. Elle a un peu peur. Elle s'assied sur une fesse. Elle commence à réaliser que le jeune homme est un peu inquiétant, avachi dans son fauteuil, avec ses bottes sales et sa barbe de trois jours. Il a les yeux enfoncés, les traits tirés, on dirait un bandit. Elle corrige, pourquoi voir le mal où il n'est peut-être pas ? Ils lui font une petite blague, c'est tout. La jeune fille n'a pas l'air très à l'aise.

Il faudrait qu'elle dise quelque chose, mais quoi ? La situation est tellement bizarre. C'est la première fois que des inconnus pénètrent chez elle. À part les gens des compteurs, bien sûr, ou le facteur. Mais le facteur, Francine le connaît.

De toute façon elle n'ouvre à personne. Seigneur, que se passe-t-il vraiment ?

Elle se redresse.

— Si vous avez faim, je dois vous dire que je n'ai pas beaucoup de provisions ici. J'ai quelques boîtes de conserves, c'est tout. J'achète ce qu'il me faut tous les jours, cela m'oblige à sortir, vous comprenez, dit-elle à Dora qui regarde ailleurs, comme si elle avait peur d'affronter la vieille dame. C'est le conseil que m'a donné mon médecin, le docteur Baldinet.

— Dora, va voir, s'il te plaît, dit Ben.

— Où ?

— Dans la cuisine.

Dora se sent complètement bloquée. Ben est fatigué, il a les traits tirés. Il lui parle mal. Elle l'aime, c'est son homme, d'accord, mais elle ne sait pas si elle doit obéir, partir en courant, appeler la police, fondre en larmes ? Tout à la fois ? Elle se tourne vers Francine.

— C'est où ? elle demande d'une toute petite voix.

— L'office donne sur la cour.

Elle montre de la main la porte d'entrée et ajoute, comme on s'adresse au petit personnel :

— Vous tournez à gauche. Le petit couloir. Et puis tout au fond.

11

La rue d'Auvergne a été pavée au début du XIXe siècle, en 1821. Avant, c'était terre et boue, comme dans tout le quartier jusqu'à la Saône. Elle s'appelait rue des Lys. Elle n'a pris son nom actuel que bien plus tard, en 1920, à l'initiative d'un adjoint au maire fier de ses racines qui habitait l'ancien hôtel particulier du comte Alban de Rochette, un peu plus loin sur la droite. Aucun intérêt aujourd'hui, les locaux sont occupés par un gros traiteur, le surgelé à toutes les sauces, noces, banquets, séminaires, meetings, le roi de l'événementiel lyonnais. Pas terrible et très cher. Combines entre les bobos de la mairie et les autres bobos. À Lyon, il y en a plein.

Le numéro 7 date de la fin du XIXe siècle. Au rez-de-chaussée, il y a une galerie d'art. Exposition en cours d'un Japonais très controversé, des fruits et des légumes pourris photographiés sous tous les angles, hum, souviens-toi que tu es poussière. Trois mille euros le cliché signé et commenté par l'auteur. Il s'en vend au moins deux par jour.

Le premier et le deuxième sont occupés par une grosse société de gestion de patrimoine et d'ingénierie financière. Trois lettres entrelacées en anglaise. Les deux étages supérieurs par des particuliers.

Au troisième vivent deux copropriétaires. À gauche, en sortant de l'ascenseur, les Boussac. À droite, Ernest de la Salle.

Retraité des Postes où il occupait la fonction de receveur

principal, Ernest de la Salle est veuf depuis cinq ans. Il vit seul, assure-t-il avec dignité lorsqu'on lui pose la question, bien qu'il entretienne une relation clandestine avec une demoiselle Vital-Ronget, quarante-sept ans, grande marcheuse et assidue des œuvres de la paroisse d'Ainay. Ernest de la Salle a deux fils. L'aîné vit à Paris, il travaillerait dans un ministère. Le second, Étienne, est en délicatesse avec le monde dont il est issu. Pour le moment il occupe une chambre de bonne dans les combles. Au chômage depuis plus d'un an après une petite carrière de commercial dans l'agro-alimentaire, il s'est mis dans la tête de devenir écrivain quand sa femme a demandé le divorce. C'est-à-dire qu'il passe le plus clair de son temps à ne rien faire, à traîner les bars et à vivre des subsides de son père. Leurs relations sont plutôt fraîches. Il en est au deuxième chapitre de son livre dont le titre provisoire est *Une si longue attente*. Comme ça, l'encre aura le temps de sécher.

À gauche, nous avons dit, la famille Boussac. Des roturiers, soupire-t-on dans le quartier, des gens ordinaires, ma chère. Le mari travaille dans les assurances. Associé dans un gros courtage. Commissions et embonpoint importants. Son épouse, une petite-fille et fille de commerçants, a tâté du secrétariat pendant quelques années. Pour l'instant elle se consacre à leur dernière fille, Aurélie, seize ans, conçue une nuit de Saint-Sylvestre sur la table de la salle à manger entre les assiettes de bûche fondue et les coupes à champagne. «Chut, tu vas réveiller la baby-sitter... Je l'emmerde, la baby-sitter...», avait répondu l'assureur en bataillant pour se débraguetter. Bonne année, chérie, meilleurs vœux ! Dix ans juste après la deuxième qui est aujourd'hui infirmière anesthésiste, en couple avec un chirurgien dont elle est la cadette de vingt ans. Je t'aime, lui répète celui-ci entre deux opérations, mais il n'est pas séparé de sa femme. Il ne peut pas, il ne veut pas, il ne prend aucune décision et cela dure depuis des années. Quant à la première fille Boussac, elle s'est installée dans le Bordelais où elle a épousé un viticulteur. Petit château Haut-Médoc, mais deux cent cinquante mille bouteilles par an qu'ils écoulent par les centrales d'achat de la grande distribution. La conjoncture n'est pas bonne, paraît-il, à cause de la mondialisation. Le père hoche la tête quand il entend le mot mondialisation. Il fait mine de comprendre mais en réalité il s'en fout. Il n'aime pas ses gendres. Donc l'accident de réveillon, la petite dernière, Aurélie. Aurélie Boussac a seize ans. Une petite révoltée, une martienne, il en fallait une dans le quartier, c'est elle. Elle a des bouts de ferraille dans les sourcils et les narines, les oreilles, le nombril, ça ne se fait plus sauf chez les vieux qui se font aussi tatouer des conneries sur les mollets, mais elle insiste. Elle porte des vêtements militaires, des pulls informes, de grosses chaussures, et elle a en permanence un air de se foutre du monde quand elle parle. Elle ne travaille pas en classe, elle est encore en quatrième et tout porte à croire qu'elle envisage d'y rester. Elle fume, elle boit, elle sniffe, elle avale tous les cachetons qu'elle trouve, n'importe quoi pourvu que ça déchire. Elle clame aussi qu'elle est branchée *sex no limit*. Une seule devise : «Jouir à donf.» En fait elle aime tout, pourvu que ce soit interdit et dangereux. Elle traîne avec les zonards, de temps en temps elle en ramène un à la maison, un type qu'il faut nourrir pendant un mois avant de le foutre dehors. Des fois le type est accompagné d'un chien. Ça chauffe alors chez les Boussac, il faut entendre les cris père et fille résonner dans les escaliers. Cela fait un peu d'animation dans l'immeuble.

La maman veille sur le présent comme elle peut. Le papa assure le futur qui doit bien exister quelque part bien que le sien soit un peu encombré par un taux de cholestérol très élevé et des Gamma-GT à la limite de l'ivrognerie.

Le quatrième étage est celui de Francine Kennedy.

Les combles, des greniers et deux chambres de bonne. Une est occupée par l'écrivain Étienne de la Salle. L'autre, plus petite, est indûment utilisée par la galerie qui y entrepose de vieux meubles. Aurélie rêve de s'y installer mais son père refuse avec obstination, je crois qu'il n'a pas tort.

À cet instant précis, Aurélie Boussac est en train de zoner devant le McDo rue de la République. Trois types l'entourent, habillés comme elle, les rangers montantes, sales et délacées. Le plus grand se tient voûté, le cou enfoncé dans sa parka. Sa crête rouge *has been* pleine de gel est en train de s'affaisser sous la neige. C'est triste.

Les jeunes gens ne parlent pas. Pour l'instant, ils sont en train de fumer. Un cône resserré sur un bout de carton circule de main en main. Un des garçons s'écarte pour cracher par terre. Gros plan sur Aurélie. Sans ménagement, on pourrait dire qu'elle a le visage ingrat. Rond, semé de boutons mal cachés sous le fond de teint, il évoque tout de suite la transition. Comme si un nouveau visage était en train de se dessiner sous celui qu'elle montre aujourd'hui et qu'elle n'avait pas encore trouvé assez d'énergie pour le faire apparaître. Les traits sont crispés, ses yeux faussement durs, les paupières noir et vert, la bouche violette aux contours exagérés. Avec son crâne pratiquement rasé, Aurélie se donne beaucoup de mal pour s'enlaidir et elle y réussit. Ses piercings ont un air tragique dans cette grisaille neigeuse, mais la révolte qu'ils sont censés inspirer ne provoque personne. D'ailleurs, ils lui font mal. L'épingle de nourrice fichée depuis peu dans son oreille gauche la lance terriblement. Le lobe est rouge et gonflé. C'est Cliff, un de ses copains de classe, qui lui a percé le cartilage il y a trois jours. Il avait placé un bouchon de l'autre côté pour ne pas se piquer le doigt, le salaud. Maintenant, elle a mal. Elle se tripote l'épingle toutes les dix secondes. Au fond d'elle-même, elle aimerait bien l'enlever, mais, devant ses copains, c'est impossible. *No future.* On souffre, c'est ce qui est bon. Enfin, bon, c'est vite dit.

Elle met sa main dans la poche. Vibreur.

— Ouais, fait-elle en plaçant le portable devant son autre oreille.

Elle écoute quelques secondes.

— Non !

Elle écoute encore.

— Non !

Elle se tourne de trois quarts dans la bise. On l'entend ajouter à mi-voix :

— Pas tard, je te jure.

Et elle remet le portable dans sa poche.

— Ma mère, explique-t-elle.

Les autres ne lui demandaient rien.

Ils restent là, le cône fait encore deux tours. Une autre fille les rejoint. Pas de salut, rien, elle entre dans le cercle, tire une taffe et tend le mégot à l'un des garçons et s'en va.

Au bout de cinq minutes de silence, la crête est blanche de neige. Le grand se passe délicatement la main dessus et jure. Les deux autres hochent la tête. Aurélie a froid. Elle a mal à l'oreille et elle a froid.

— À plus, je m'arrache, dit-elle.

Les trois autres hochent la tête. Le plus grand la suit du regard un peu plus longtemps, il a même esquissé un pas en avant comme s'il avait envie de la suivre. On le sent hésiter. Ses pieds s'agitent. Mais restent sur place.

Rumi n'a pas rangé sa cuisine. Il est resté à boire son stock de bières après le départ de Ben. Il râle, il n'a plus de chips. Il a fini le dernier paquet sans s'en apercevoir. Il aurait même avalé le papier tellement il aime les chips. Il est en rogne, au fond il ne sait pas bien pourquoi. D'accord, Ben, c'est un enfoiré, mais ce n'est pas une nouveauté. D'ailleurs, tous les gens que rencontre Rumi finissent par devenir des enfoirés un jour ou l'autre. C'est comme une fatalité. Tous des enfoirés.

Pour l'instant, il n'est ni plus ivre ni moins ivre qu'hier. Il supporte l'ivresse comme il supporte ses dreads sales. Il est avachi sur sa chaise et il croit qu'il est en train de réfléchir. Cette fois, c'est trop, il conclut rapidement. Le Ben, il va pas l'emporter au paradis. Le manque de respect et l'argent. Tout à la fois. Il faut qu'il le retrouve. Rue Dumenge, impossible, Ben lui a expliqué la catastrophe. Reste quoi ? Le Double Basic. Oui, mais on est lundi, la boîte n'ouvre que dans deux jours. Piste perdue, râle Rumi en décapsulant la dernière bière.

Pourquoi pas Marco ? C'est une idée, ça. Appelle Marco, à deux on devrait avoir la même manière de penser. Alors il appelle.

— Oui, fait Marco, pendant que ça grésille dans son oreille.

— Salut, c'est Rumi.

— Comment tu vas ?

Le ton est chaleureux, amical, Rumi se félicite de son idée. Deux contre un, c'est mieux que tout seul. Et cet enfoiré de Ben n'aura que ce qu'il mérite.

— Peu près.

— Un souci, garçon ?

Silence.

— Non. En fait, si. On s'est un peu pris la tête avec Ben.

— Grave ?

— Non, non.

Le ton est vif mais un peu lugubre. Ils sont potes, les deux, c'est certain, mais il vaut mieux ne pas tout lâcher d'un coup. Marco a aussi son caractère. Pour l'instant il ne figure pas sur la liste des enfoirés, disons qu'il se prépare à entrer dans celle des « enfoirés potentiels ».

— Non, rajoute Rumi. On a fait un peu les comptes par rapport à la dernière affaire, vite fait à la louche, tu vois, et j'ai pensé que... En fait j'ai cru...

Rumi vient de se souvenir que c'est Marco qui s'occupe de placer la marchandise. Barman, ça le fait trop, avec ses relations. Erreur, pense Rumi.

Marco a immédiatement compris :

— S'il y a un problème avec les comptes, il faut qu'on en discute, dit-il presque joyeusement.

— Justement. On en a parlé avec Ben et...

— Vous vous êtes pris la tête, conclut Marco.

— Oui.

— Les prix sont un peu bas, c'est ça ?

— Oui.

Là, Marco donne sa mesure. Il glisse légèrement :

— On a un peu évoqué la situation avec Ben...

Marco sait parler quand il veut.

— Quoi ?

— On a bavardé, c'est tout.

— Vous avez dit quoi ?

— Je ne me souviens plus vraiment, je n'ai pas noté.

Rumi se lâche, il se sent en confiance, tout à coup, Marco est trop cool.

— Ben m'a donné deux cents, avoue-t-il.

À l'autre bout du fil, Marco étouffe un bâillement. Deux cents. Comme convenu entre Ben et lui. Un peu de monnaie, le boulot du bouffeur de chips ne vaut pas plus, c'est une vraie couleuvre, Ruminator. Mais Marco ne va pas en rester là. Il ne sait pas faire autrement, lorsqu'il y a matière à embrouille, il sort ses appendices et mitraille.

— Effectivement, garçon, deux cents, c'est un peu juste, fait-il machinalement.

— Tu vois.

— C'est un acompte, sûrement.

— Tu crois ?

C'est Rumi qui croit au Père Noël.

— T'inquiète, mec. Je m'en occupe.

— Ben, des fois, il se la joue cador...

— Mais non, souffle Marco, impatient de raccrocher. Allez, à plus, ciao.

— Ciao.

Rumi est un peu soulagé. Marco est avec lui. Le Ben, il va manger, et chaud.

12

Rue d'Auvergne, l'ambiance est un peu tendue. Francine Kennedy est toujours assise au bord de son fauteuil. Elle tripote la boîte de chocolat qu'elle vient d'acheter. Elle se demande tout à coup s'il lui reste du lait. Grosse inquiétude, elle ne s'en souvient plus. Je perds la mémoire, j'oublie même les choses insignifiantes comme une bouteille de lait. Je pourrais aller voir. La petite est partie où... ? Qui sont ces gens ? Ce jeune homme est négligé. Et il a les yeux tristes. En plus il a bu de l'alcool, je le sens d'ici. J'ai horreur des gens qui ont bu. Ils disent n'importe quoi. Ils font n'importe quoi. Boire...

Francine glisse lentement dans ses souvenirs. Elle en attrape un au hasard. Oscar... Un soir dans leur maison du cap d'Antibes, sur la terrasse en compagnie d'un couple d'Anglais, elle ne se souvient plus de leur nom, les Stent quelque chose. Stenton, Stephenson, Marson... J'ai oublié, j'oublie tout. Je suis trop vieille. Justement, Oscar était ivre. Un moment, il s'était déshabillé et avait plongé tout nu dans la piscine. La jeune Anglaise avait rougi et avait détourné son regard, mais son mari avait suivi Oscar dans la même tenue, sans dire un mot ni sourire. Un Anglais, quoi. Les deux hommes s'éclaboussaient bruyamment et encourageaient les femmes à venir les rejoindre. Francine ne voulait pas. Pour rien au monde elle ne se serait conduite d'une manière aussi stupide. L'Anglaise hésitait, cela se voyait, elle en mourait d'envie, une dinde couverte de coups de soleil. Oscar criait de plus belle. Finalement la dinde s'était levée et était entrée dans la maison, probablement pour enlever sa robe, avait pensé Francine. Elle l'avait immédiatement suivie et lui avait imposé une tasse de café. Fin de l'histoire. Après, elle avait fait une scène terrible à son mari, mais Oscar savait se faire pardonner. Il savait prendre un sourire d'enfant, il savait trouver les mots, les promesses, et Francine pardonnait tout. Mais cette scène lui fait mal, maudites soient cette maison et cette piscine, elle ne sait pas pourquoi elle se souvient de cet épisode aujourd'hui. Si, le jeune type. Il a bu. Et quand on a bu, on ne peut faire que des bêtises. Oh, Oscar...

Ben a les yeux fermés et il a envie de vomir. Ce n'est pas l'alcool, bien qu'il en ait ingurgité une bonne quantité aujourd'hui. Il a des nausées, mais il les connaît bien, il les appelle les nausées du cœur. Il a déjà réfléchi au problème, ce n'est pas la première fois que cela lui arrive, il en a même discuté une fois avec son éducateur. Cela n'a rien donné parce que ce n'était pas le bon moment ni la bonne personne, mais il sait faire la différence entre une cuite banale et la gerbe qui tord la tripe, qui vous remonte à travers le corps et qui vous serre la gorge à vous étouffer. Il pourrait boire trois litres de blanc de plus que ça ne changerait rien.

Il se sent foutu. Terrible constat mais constat tout de même, l'espoir a disparu. Dora doit être fâchée contre lui, si cela se trouve, elle ne le supporte plus. Il ne peut pas lui donner tort. Et puis il y a la dernière nouvelle du jour. Le père Marthelin et son malaise. Il a besoin de savoir. C'est urgent de savoir. Il s'est imposé face à cette grand-mère de quarante kilos, mais il n'ose pas lui demander s'il peut se servir de son téléphone. En fait il n'ose même pas la regarder en face. Il ferme les yeux. Marthelin, crève pas, s'il te plaît, crève pas, vieux. Un malaise au boulot, c'est quoi, un malaise ? Une attaque, un truc au cœur, ou au cerveau ? Marthelin, c'est bien le genre avec la vie qu'il mène. Il faut qu'il sache. Il étire ses jambes puis les replie brusquement, comme s'il voulait signaler sa présence, faire comprendre qu'il a besoin d'un coup de main.

Mais rien. La vieille s'en fout. Elle tient toujours sa boîte de chocolat et elle regarde la fenêtre. Et Dora ? Dora a marché à petits pas à travers l'appartement comme une somnambule. Évidemment, devant la porte d'entrée elle a pris à droite au lieu de tourner à gauche. Un pas dans le noir et sa main tendue a frotté le mur et trouvé un interrupteur. Un large couloir avec un chemin en tapis est apparu, illuminé par une série d'appliques des années 50 en ferronnerie vert et or. Sur les murs, des tableaux de chasse, des natures mortes, une tapisserie ancienne. Des portes aux moulures compliquées. Dora les ouvre. Une immense salle de bains et deux chambres décorées comme il y a un siècle, en style. Dora n'y connaît rien et elle s'en fout. Elle, c'est Ikea. Là, on dirait un musée. Aujourd'hui, Dora n'aime pas les musées. Au fond du couloir, un miroir la voit approcher, elle a l'air de marcher sur la pointe des pieds. Elle se trouve moche et ridicule.

Avant d'en savoir plus, elle pousse la dernière porte. C'est la chambre de mamie. La seule pièce qui soit un peu vivante. À gauche en entrant, une penderie grande comme le salon de ses parents, c'est vrai qu'il n'est pas très grand, le salon familial, c'était juste histoire de comparer. Elle entre. Des manteaux de fourrure sont accrochés là, la plupart dans une housse transparente, elle est folle, la grand-mère, tous ces manteaux ! Plus des robes, des chemisiers, des jupes, des tiroirs et des dizaines de cartons à chaussures. Tout est bien rangé. Elle ressort. Devant elle, entre les deux fenêtres, un lit dont un seul oreiller est visible et froissé, prolongé par une toute petite couverture en piqué. Le reste a l'air paralysé, le second oreiller bombe sous le haut du couvre-lit soigneusement tiré. Il règne une odeur de renfermé, une odeur de vieux. Dora a envie d'ouvrir la fenêtre.

À droite, une autre salle de bains avec deux énormes lavabos, un miroir qui tient tout le mur et une baignoire dont les pieds écartés représentent des pattes de lion. Dora a vu une pub, ils refont les mêmes aujourd'hui, elle trouve ça un peu chargé. Quoique, ici, dans l'esprit, ce n'est pas si mal. Elle réfléchit, chez ses parents, c'est un peu la même chose.

La chasse d'eau fait un bruit de cascade.

Il faut qu'ils partent, il faut qu'elle dise à Ben que c'est terminé. Dora veut rentrer chez elle. Il ne peut rien arriver de bien ici, elle le sent. Laisser cette femme tranquille, aussi, elle paraît si vieille. Un instant elle imagine Noune, sa propre grand-mère, la mère de sa mère, dans la même situation. Elle ne se serait pas laissé faire, elle aurait mis tout le monde dehors vite fait. Il en faut plus pour l'impressionner, Noune. Même Hans la craint, lui qui chichonne presque sous le nez des parents et qui se torche à la bière tous les vendredis soir avec ses copains. Oui, partir, prendre Ben par la main et s'en aller. Où il voudra, zoner, s'il veut zoner. Quoiqu'elle ne sache pas vraiment ce que signifie zoner dans ce genre de circonstances. Et elle n'a pas vraiment envie de le savoir. Rentrer chez moi, oui. Avec Ben. Et s'il ne veut pas, eh bien, tant pis. Clair, non ?

Elle fait demi-tour et repasse devant la porte d'entrée. Elle s'arrête un moment, elle tend l'oreille. Rien. Elle aperçoit le bas de son jean et ses bottes. Si on restait là, il faudrait choisir une chambre. J'ai promis. À qui j'ai promis ? À personne. À moi, juste à moi. Un coup d'allégresse. Une folie. J'ai promis, c'était avant qu'il m'amène ici. C'était dans l'ambiance. Maintenant, elle en est certaine, il n'y aura pas de chambre. Pas ce soir.

Un pas de plus en avant et Dora aperçoit la vieille femme. Elle se tient droite, au bord du fauteuil, on dirait qu'elle n'a pas bougé depuis tout à l'heure.

Dora traverse le hall sur la pointe des pieds et prend le petit couloir en face d'elle. Plus sobres, les murs sont simplement recouverts d'une peinture jaune et l'éclairage est limité à un globe de verre, et hop, cinq pas plus loin elle pousse la porte de la cuisine. Rien à dire. Des placards du sol au plafond. Sous une cheminée, un ancien fourneau recouvert d'une petite nappe en dentelle. Il ne doit pas servir souvent. À côté, une cuisinière électrique et un réfrigérateur.

Elle ouvre quelques placards, tous pleins de vaisselle. Des assiettes, des plats décorés, des fleurs, des légumes, des scènes de chasse, n'importe quoi. Comme le service de ses parents. Sans la petite phrase en hongrois au-dessous du décor, bien sûr. Son père n'a conservé qu'un seul souvenir de sa famille. Le service aux proverbes. Ils ne mangent jamais dedans.

Au centre, une table. Sur la chaise près du frigo, un gros coussin. C'est là qu'elle s'assied, pense Dora. Une petite miche de pain est posée juste devant sur la toile cirée. Coquelicots rouges sur fond vert. Dans le néon de la cuisine, c'est carrément moche. C'est dingue comme les vieux n'ont pas de goût. Et surtout, ça pue, la même odeur règne dans tout l'appartement. Partir d'ici, vite.

Dora cherche encore puisque Ben lui a demandé de chercher. Le frigo, vite fait. Un pot de confiture à moitié vide, à la fraise, deux yaourts, trois oranges et un paquet de dattes entamé. Un emballage de charcutier, plat et mince, une tranche de jambon, probablement, les vieux ne mangent que du jambon, avec leur dentier, comme Noune. C'est tout. D'autres placards, en hauteur de part et d'autre de l'évier. Des paquets entamés de riz, de pâtes, de la purée en flocons, du thé de différentes marques et du café décaféiné en poudre. Plusieurs grosses boîtes de biscuits. Certaines sont vides, d'autres contiennent des tas de recettes de cuisine découpées dans des revues, d'autres des gâteaux secs. Elle se penche. Ils sont là depuis la guerre, pense Dora qui prend souvent la guerre comme point de repère. Ton papa devrait comprendre que l'Œdipe, c'est pas encore fini, ma belle. Sous l'évier, il y a dix bouteilles de Javel pleines. À côté, une collection de savons de Marseille soigneusement empilés les uns sur les autres. Dans le placard suivant, quelques bouteilles d'huile aux étiquettes grasses comme si l'huile avait filtré en dehors du plastique. Mamie a fait des stocks. À droite de la cuisinière une porte ouvre sur un cellier. Sur une corde tendue en travers sèchent une paire de bas et une culotte de soie. Sur les étagères sont posées une vingtaine de boîtes de conserves. On ne mourra pas de faim, elle se dit, histoire de se dire quelque chose.

Elle revient au salon. Ben s'est endormi, le visage tendu. À chaque respiration sa bouche laisse échapper un petit couinement, comme s'il avait mal. Le cœur de Dora se serre brutalement, ou il déborde, elle ne saurait pas faire la différence. Elle l'aime trop, quoi qu'elle dise, quoi qu'il fasse, elle le regarde, il est beau, il est sauvage, brut, pur, mais ça n'explique pas tout. Elle frissonne juste en sa présence, il y a des ondes, quelque chose de vital, d'intense que les mots fuient, incapables de traduire ce qu'elle ressent. Du reste, il n'y a aucun mot pour ça, elle l'aime et c'est tout, elle ne peut rien y faire. Mais là, maintenant, elle est juste terrifiée, elle ne veut plus être là. Elle a seulement envie de pleurer. Il faut qu'elle pleure, c'est trop fort. Alors elle pleure.

Francine se retourne et la voit. Elle se lève doucement et s'approche d'elle. Elle tend le bras vers Dora, mais la jeune fille la repousse. Personne n'a le droit de venir lui gâcher sa tristesse. Ou son bonheur. Elle ne choisit pas entre les deux. À quinze ans, c'est difficile de choisir. Francine reste là et Dora se retrouve à pleurer dans ses bras, heureuse et en colère.

Freud n'a pas voulu abandonner Dora. Une petite curieuse, mine de rien. Une chose est sûre, sur le plan psychologique, elle va très bien. Il a fait le tour de l'appartement avec la jeune fille et il s'est à peine étonné de ce qu'ils y ont découvert : un décor dans lequel une vieille femme très riche termine sa vie toute seule, dans la répétition *ad nauseam* du même rituel chaque jour. Sans aucune issue. Rien. Enfin si, il y a une issue. Il le sait, il a déjà vécu tout cela.

Au moins lui s'est bagarré jusqu'au bout. Il a travaillé tant que la souffrance lui en a laissé la possibilité. Et c'était si difficile, à la fin, si douloureux. Heureusement qu'Anna était là.

S'il a fait de grandes découvertes, il s'est aussi beaucoup laissé abuser par son orgueil. Il en a conscience aujourd'hui, mais il ne se reproche rien à se sujet. Je ne suis qu'un homme, je voulais laisser mon empreinte sur le monde, l'ambition n'est pas un crime. Ai-je réussi ? Pas tant que cela. C'est peut-être pour achever le travail que je suis là ?

Finalement il est revenu au salon où Benjamin s'est endormi. Freud s'est tourné vers Francine Kennedy à qui il a fini par trouver un air de ressemblance avec une de ses belles-sœurs, Johanna. Quelque chose dans le profil, le menton aussi, le lobe de l'oreille. Et ces cheveux follets qui

passent par-dessus. La petite Johanna qui est morte comme les autres dans un camp en 1943. C'était la dernière sœur de son épouse, pas la plus futée mais la plus jolie. Et surtout la plus joueuse, la plus disponible sur le plan de, comment dire... La chaîne de ses pensées se brise immédiatement. Il a tout de suite compris. Surmoi répressif, et allez donc ! Même après la mort, mon surmoi continue de m'emmerder !
Oui, Johanna et moi, voilà, c'est dit, et alors ? Elle était majeure, elle savait ce qu'elle faisait, non ?

Partir ou rester, Dora hésite, mais une qui ne sait pas choisir non plus, c'est Aurélie. D'un côté elle a besoin de rentrer chez elle et d'un autre elle a encore envie de zoner. L'air froid et la neige saupoudrent son imagination d'un parfum d'aventure. Seule au monde, tout ça, un but grandiose à fixer, l'important ce n'est pas de savoir lequel, c'est de savoir qu'il existe. Aurélie est un peu sotte, il faut bien le dire. Elle est encore très gamine malgré sa fausse liberté et son air d'en avoir deux. Elle marche en traînant ses Doc 1460 rouges dont les lacets sillonnent la terre neigeuse de la place Bellecour.
Elle traverse pour prendre la rue Victor-Hugo. Elle s'arrête à l'angle du bureau de tabac. Un bonnet dépasse d'une couverture kaki. C'est un de ses potes, à l'abri sous le store, le corps en boule avec son chien couché sur ses pieds. Elle ne sait plus comme il s'appelle. Un pote. Elle reconnaît surtout le chien. Crack. Crack comme ce qu'on fume dans le Bronx et qui fait si peur. Elle hésite à le caresser : quand Crack garde, il ne faut pas s'approcher de son maître. Et son maître a l'air défoncé grave. D'ailleurs ses potes se défoncent tous. *No future.* Elle se touche l'oreille. Putain, ça fait mal, cette saloperie.
Elle se roule rapidement une cigarette, en cône, pour bien montrer qui elle est, et aspire la première bouffée en fixant un type en loden, genre église, six gosses à la maison et une femme à chignon. On a les clichés qu'on peut quand on a seize ans. Aurélie trouve qu'il la mate un peu trop longtemps. Intérêt, surprise, tu cracherais pas sur une petite turlute avec

une tarée, hein ? Tiens, fume, mon vieux, va te faire mettre.
Elle continue, traverse la rue Sainte-Hélène. Le vent la
pousse dans le dos et lui glace les fesses. La neige la fait
déraper dans la rigole qui partage la rue. Marre de l'hiver.
Elle arrive rue d'Auvergne. Dans l'ascenseur elle hésite.
Finalement elle appuie sur le dernier bouton. L'ascenseur
s'arrête au quatrième. Elle traverse vite le palier de la vieille
chatte, comme elle l'appelle, et attrape l'escalier pour monter au grenier. Elle va faire une petite surprise à Étienne.

Oui, parce que, Étienne et elle, eh bien, ça flirte sec. Un
type de trente-six ans, divorcé, et une fille de seize. *No future*
et *no problemo*. La première fois, c'était début juillet. Il y a
six mois. Aurélie était montée au grenier pour voir. Pour
imaginer sa vie une fois que son père serait devenu moins
con et qu'il aurait réussi à faire virer les vieilles saloperies de
la galerie. Juste pour voir. Rêvasser. Fumer aussi un petit
pétard tranquille pour mieux imaginer, cool la vie. Elle avait
ensuite essayé de bouger un fauteuil pour mieux réfléchir et
un tiroir en équilibre avait valdingué. Aurélie s'était marrée.

À côté, une porte s'était ouverte, puis un type était
apparu. Le fils du troisième. En face de chez elle. Le mec
qui écrit, il paraît. Une belle gueule d'artiste, ça oui. Un air
classe, mais fringué à la ramasse, velours avachi, cardigan
cuir aux coudes et... le T-shirt des Red Hot Chili Peppers à
Nîmes, le salaud, il y était ! Trop mortel, les Red Hot, ce
n'est pas la musique de sa génération, mais elle aime trop,
surtout Flea, le bassiste qui joue torse nu, ce serait presque
son homme idéal s'il n'était pas si vieux.

Et l'autre, la mèche qui penchait du côté de la tête qui
penchait. Elle avait pouffé en se rendant compte qu'elle se
disait deux fois «penchait».

Étienne de la Salle avait un visage un peu veule, des traits
vagues, une barbe de supporter de la Lazio et une petite
brioche de picoleur. Un mâle. Un peu comme était le père
d'Aurélie avant sa naissance. Comme quoi l'Œdipe est universel, t'as encore raison, Sigmund. Même avant la naissance, parfaitement.

Lui, c'est un petit dragueur de bistrot, le spécialiste de
l'expresso entre midi et deux. Du genre rapide, ça marche

ou ça ne marche pas. Un créneau comme un autre. Investissement minimum.

Enfin un homme, un vrai, s'était dit Aurélie, sans se rendre compte qu'elle avait affaire à un branleur.

Et les voilà à bavarder, puis à se fumer un autre pétard et, finalement, Étienne avait réussi à lui passer la main dans la culotte. Facile. Ces treillis, on dirait qu'ils sont faits pour ça. Dans la foulée, tout en continuant à lui susurrer des mots à la con et à lui lécher les boutons, il sortait sa bite, autant appeler cela une bite, on perdra moins de temps. Là, elle était en terrain connu. Et les voilà à râler et à gigoter sur le parquet.

«Ça fait du bien, putain!» avait dit Aurélie après avoir poussé un cri de film porno.

De temps en temps, elle monte le voir. Le sexe, elle aime ça. «On fait gaffe, hein. Je me suis déjà fait avorter, je tiens pas à y repasser», avait-elle dit. Ce qui était vrai. En septembre de l'année dernière, juste en rentrant d'un club de vacances avec ses parents. Le mono d'aquagym, un Black trop balaise. Maman n'avait rien dit à papa. Maintenant, elle prenait la pilule, mais quand même, autant faire attention, elle n'y croyait qu'à moitié, à la pilule.

Au mot avorter, Étienne de la Salle avait flippé. De quoi j'aurais l'air? avait-il pensé. Un vrai gentleman.

Mais oui, ça flirte sec, Étienne et Aurélie. On a beau dire *No future*, se faire percer l'oreille à l'interclasse, dès qu'un type tient à toi et paraît content de te voir, on appelle presque ça de l'amour. Si, je te jure, presque.

Elle frappe. Personne. Elle donne un coup de pied dans la porte. Rien. Il n'est pas là. Pas de musique, rien. Tant pis. Elle arrache une page de son classeur de français et écrit rapidement au feutre rose «Suis passée, t'était pas la? Bisous. A+ remonterait. A.»

Puisqu'elle est au grenier, autant ne pas être montée pour rien. Elle ouvre doucement la porte à côté. Ce sont les anciens bureaux de la galerie du rez-de-chaussée. Avant c'était une auto-école. Ils émergent de l'obscurité comme des monstres, vaguement éclairés par les lampadaires de la place. Elle les hait, ces saloperies de bureaux, au point qu'il lui prend l'envie de leur foutre le feu. Tout de suite, maintenant. Ce serait con, se dit-elle, ça brûlerait la piaule d'Étienne. Pour la forme, elle crache par terre. Un petit crachat de rien du tout, un crachat de fillette.

Aurélie referme doucement la porte, comme si elle ne voulait pas réveiller les monstres. Elle s'approche une dernière fois de celle de l'écrivain, penche sa bonne oreille et tente de percevoir le moindre bruit. Rien.

Dora s'est ressaisie. Elle a vite séché ses larmes et s'est éloignée de la vieille femme.

Francine n'a plus peur, maintenant. Ni de la gamine ni de son ami. Ils ne lui feront pas de mal, elle le sent. Ils sont fatigués, c'est tout. Ils vont partir, mais oui. Ou alors ils cachent bien leur jeu, ce qui ne serait pas inconcevable compte tenu de ce qui s'est passé il y a quelques jours, n'est-ce pas ? Que s'est-il passé, d'ailleurs ? Francine cherche désespérément. Elle ne trouve pas. Alors elle se retourne sur la meilleure des recettes, celle qui a fait ses preuves dans toutes les situations difficiles et dans les autres, c'est du moins ce que sa mère n'a jamais cessé de lui répéter.

— Vous prendrez bien une tasse de thé ? dit-elle, presque joyeuse. Et elle ajoute : nous le boirons au salon, comme cela, si votre ami se réveille, il ne se sentira pas isolé.

Dora en trébuche sur le tapis.

13

Il fait quasiment nuit.

Dehors la neige continue de tomber, maintenant en flocons rapides et serrés. C'est le moment idéal pour que tout s'organise. Tous ces gens qui marchent, qui glissent, qui pensent, qui rêvent, les jeunes avec leur avenir, soi-disant, les vieux avec leur passé et leur mémoire chancelante. Que faut-il avoir, *no future* ou une gerbe de souvenirs dont on regrette d'avoir laissé faner les meilleurs? Ça se discute. De toute façon, on n'a pas le choix. Regarde Francine, avec sa mémoire qui prend l'eau. L'eau, ah oui. Il n'empêche que l'épisode de la piscine, elle l'a bien retrouvé, avec le lien qu'il fallait. Il y en a eu des tas d'autres, des épisodes joyeux, des tristes, des nuls et non avenus, vingt-quatre années de vie, ça en fait des choses à se rappeler. Et puis, après la mort d'Oscar, presque quarante ans sans rien. Sans rien. À se poser chaque jour la même question en entrant dans cette foutue penderie parce qu'il faut changer de manteau de fourrure. À boire son bitter et à fumer ses Craven. Un peu faible, tout ça, non? Et ça mène où? On le sait où ça mène.

Les jeunes le savent aussi, ils ne sont pas plus bêtes que les autres. Ils essaient de se débattre et font n'importe quoi, même s'ils savent que leurs ailes sont engluées dans le goudron comme celles de tous les êtres humains. Aucune importance, rien à battre, un être humain, ça ne vole pas et ça ne volera jamais. Ne reste plus que *no future*.

Pendant ce temps les vieux les traitent de nazes, de merdeux, de débiles, de drogués, de fous, de révoltés, parfois de
malades mentaux, pourtant ils essaient de vivre. Regarde
Aurélie...

Alors, au bout d'un moment, les vieux finissent pas comprendre et ils reculent, ils acceptent peu à peu de plonger
dans le marais dont on ne ressort pas. D'abord un pied,
puis un autre, il n'y a plus ensuite qu'à se laisser glisser
dans l'oubli.

Ceux qui sont entre deux âges, on a l'impression qu'ils
avancent tête baissée.

Freud hoche la tête.

Bref, tout va se passer.

Tout. Enfin pour ce qui nous intéresse. À Chicago ou à
Bangkok, je n'en sais rien, mais je peux me renseigner.

Auparavant, on va rester dans le quartier et dire un petit
mot sur elle parce qu'elle aura son mot à dire quand ce sera
son tour. Isabelle Vital-Ronget n'a pas pris de parapluie. Le
temps était sec, froid et sec, bien que Lyon soit la ville de
l'humidité et du brouillard d'après les Parisiens qui passent
leur temps à dire qu'ils vivent au paradis terrestre. Dieu a
créé Paris avant le paradis, tout le monde le sait. On se
demande pourquoi il ne s'est pas arrêté après. Bref, Isabelle,
no pépin, pour faire télégraphique.

Le lundi après-midi, il y a tout d'abord réunion de
l'équipe de catéchèse, et ensuite la commission des profes-
sions de foi. Nous préparons le mois de mai, celui des com-
munions, et déjà janvier, c'est limite trop tard. Isabelle a des
responsabilités. En particulier celle des textes «individuali-
sés». Elle doit s'assurer que les prépubères comprennent
bien ce qu'ils lisent et ce qu'ils vont faire. Là, ce n'est pas
gagné. Le nouveau curé de la paroisse trouve cela très
important. Alors Isabelle aussi parce qu'elle est profondé-
ment croyante et que le prêtre est volontaire et intelligent.
Mais, pour choisir, il faut qu'elle lise tout, les anciens et les
nouveaux auteurs. Les nouveaux ont copié sur les anciens
en essayant timidement de glisser çà et là quelques mots plus
«jeunes» depuis le succès des JMJ, visages souriants et exta-

tiques devant les caméras de télé du monde entier. Médiatisation renforcée à la mort du Polonais *Santo subito*. Nouveautés genre *Le Christ est notre leader* (plus mon berger), ou mieux *Christ, my dear boss* ou *Rejoins-moi sur mafoi. com*. On peut aussi le chanter, le danser, ça fera toujours gigoter les seins des filles et ça donnera des idées aux garçons et aux autres. Les théologiens ou les attachés de presse se sont mordus jusqu'au sang pour en arriver là, c'est ce que pense Isabelle qui, bien que très pieuse et pratiquante, arrive à se servir de sa tête et refuse les compromis inutiles avec le bizness.

Elle se sert aussi de son corps, puisque ce soir, après toutes ces activités spirituelles, elle va recevoir Ernest de la Salle, son vieil amant. À Lyon, dans le quartier d'Ainay, on dit encore amant, pas copain, c'est la tradition. À Ainay, le péché n'est jamais une banalité. Amant, ça fait plus péché et c'est meilleur. Et jamais chez lui. Toujours chez elle.

Isabelle Vital-Ronget a horreur de son nom. C'est le Ronget qui la gêne. Le Vital, non. Mais Ronget, ça fait con, elle trouve. Le nom de sa mère, en fait. Bref, allégeons l'histoire, si on se met à parler des Ronget, on va se perdre.

Elle reste un moment devant la porte, en haut des trois marches à l'arrière de l'église, elle hume le temps dans son épaisse clarté. Elle cherche dans son sac si elle n'a pas quelque chose à se mettre sur la tête, toutes les vieilles ont un bout de plastique à ficelle dans leur cabas pour protéger leur permanente. Elle non. D'abord elle n'est pas vieille, et ensuite elle n'a pas de permanente. Elle porte simplement les cheveux tirés en arrière en une queue-de-cheval que blanchissent quelques fils gris. Vieille et gamine à la fois, c'est ce qui excite Ernest. Plus quelques petites spécialités. Mais il neige, et dru. Isabelle se lance, le menton dans le cou. La rue Vaubecour est à quelques centaines de mètres.

Ben se réveille, la bouche pâteuse. Il ouvre un œil. Dora et la mémé sont en train de boire du thé. Je rêve. Il se redresse. Sa tête est traversée par un éclair de douleur. Le vin blanc. C'est parti de la nuque et ça file vers le front. C'est l'angoisse, ça ne touche pas le foie, je vais survivre. Il grimace. Se redresse, respire. La douleur s'estompe.

Dora lui tourne à moitié le dos. Francine fait « Oh » et repose sa tasse.

Dora le regarde et lui sourit.

— Tu as bien dormi, biquet ?

— Te fous pas de moi.

— Mme Kennedy accepte de nous héberger un jour ou deux. Mais je ne sais pas si je vais rester.

— Tu veux t'en aller ? demande Benjamin, inquiet.

— Un peu, reconnaît Dora. J'ai expliqué à Mme Kennedy.

— Expliqué quoi ?

— Mes trucs. Le bahut, tout ça.

— Tout ça.

Ben est effondré. Elle veut me laisser. Et comment je vais respirer si elle me laisse ?

Dora change de sujet.

— Tu as vu ? Il neige, j'ai regardé la météo sur mon portable. Il va neiger un maximum cette nuit.

— On n'est pas en Sibérie, grogne Ben.

— S'il n'y a pas de problèmes avec vos parents, précise Francine.

— Tu veux vraiment partir ? soupire Ben.

— Mais non, biquet. Je ne sais pas. J'aimerais bien rentrer chez mes parents et j'aimerais bien rester avec toi. Je ne suis pas habituée à tout ça...

Elle montre ce qui l'entoure d'un petit geste du bras, salon, tasses de thé, mémé Francine, la neige, le monde, quoi.

Ben a mal, sa gorge le serre. Il ne veut pas continuer dans cette voie. Pense à autre chose, gars, pense aux Marthelin, par exemple. Il se penche en avant, déglutit et demande :

— Je peux téléphoner ?

Francine le regarde.

— Mais bien sûr.

— Merci.

— Tu veux mon portable ? demande Dora.

— C'est sur Lyon. Garde ta pile pour la météo.

Ben marche jusqu'à une petite console à côté d'un autre

fauteuil à l'entrée du salon. Il compose rapidement un numéro.

— Mon ami est très inquiet, souffle Dora. Son... Son oncle a eu un souci de santé.

— Ah.

Les Marthelin. Palabres étouffées mais, on le comprend vite au visage de Ben qui se détend lentement et qui sourit presque, le vieux est rentré chez lui. Un simple malaise après une engueulade avec ton chef ? Ben fait semblant de s'étonner, cela lui arrive une fois par semaine. Fais attention, Marty, lui dit Ben, t'as pas vingt piges...

Ben est soulagé. Il respire mieux, voilà un problème provisoirement réglé.

De toute façon, Dora a raison, rester ici cette nuit, c'est un délire de plus. Il en a marre, trop marre, stop tout ça. Il observe Dora. Juste au moment où elle tourne la tête et le regarde en esquissant un petit sourire. Putain, qu'elle est belle ! Comment être plus heureux qu'à cette seconde précise ?

Mais une seconde, ça ne dure pas. Tu veux me quitter ? Alors il pense. Il réfléchit, sagesse et morale traversent comme elles peuvent son envie de vivre à tout prix, elles disent, plus de conneries, Ben. Il se le répète au fond du ventre en se traitant de crétin. Même si ses chances sont quasiment nulles, une seule suffit, non ? Une seule. Il la regarde. C'est toi, ma chance, Dora. Ma vie, puisque la mienne... Pas sûr que tu veuilles quand tu sauras vraiment quel cloporte je suis réellement. Tu vas tomber de haut. Une petite bourge de quinze ans et un ex-taulard, même dans les sitcom de l'après-midi à la télé, ils refuseraient l'idée. Il la regarde encore, impossible de ne pas la regarder quand on a commencé, je l'ai déjà dit je fais ce que je veux, elle sourit encore et c'est un sourire pour de vrai, avec de la tristesse au fond, comme tous les vrais sourires.

Il cherche quelque chose puisque sa décision est prise, ils doivent partir d'ici, ils n'ont rien à faire chez cette vieille qui est en train de se pencher pour lui servir une tasse de thé. Du thé ! Non, ce qu'il lui faudrait, ce qu'il leur faudrait, c'est une soirée tranquille tous les deux pour parler. Parce qu'ils devront parler un jour, parler vraiment, lui surtout, du passé, du présent, de l'avenir et de tout le reste. Faire le grand ménage, lui expliquer qui il est, d'où il vient, ce qu'il a fait, le vin, tout, avant que... Avant que quoi ? C'est encore une gamine, elle va se lasser, elle va te larguer vite fait, qu'est-ce que tu rêves ? Tu as vu, elle veut déjà rentrer chez elle. C'est parce qu'elle a peur, c'est tout.

Peur ? J'admets. Et si elle ne se lasse pas, malgré tout ? Pourquoi pas ? Arrête, pauvre mec, tu viens du quart-monde et elle, c'est une étoile avec plein de bourgeoisie dans ses gènes. Qu'est-ce que tu crois ? Merde. J'y crois.

Ben balaie tout ça, il continue, oui, il imagine une soirée genre restaurant, et peut-être dormir à l'hôtel s'il jure de se tenir tranquille. Oui, une soirée pour voir s'il y a un peu de bonheur à prendre. Bilan après inventaire, ça se dit ? Un petit bonheur, ça lui suffirait. Même s'il ne dure pas. Et qui sait s'il ne durera pas un peu plus longtemps ? Ben fantasme. Il n'ignore pas qu'il n'y a que les fantasmes qui fonctionnent vraiment entre les hommes et les femmes. Tout le reste, c'est réalité et eau de boudin. Alors, vas-y à fond, pourquoi pas à la campagne tant que tu y es ? Un poulet à la crème en dehors de Lyon, une petite friture en bord de Saône ou une virée au sud, ce n'est pas le Pérou. Finalement, il ne neige pas tant que ça, il le voit à travers les rideaux de l'appartement. Il regarde la pendule de la commode, il n'est pas loin de 6 heures. Ce serait pas mal s'il trouvait une voiture.

Alors il pense à Marco et, puisque le téléphone est chaud, il compose son numéro.

Ils discutent un moment, effleurent le cas Rumi sans prendre de grande décision. Puis Ben attaque.

— J'aurais besoin de ta voiture, ce soir, c'est possible ?

— C'est chaud, répond Marco. J'ai quelque chose de prévu. (Silence.) Sauf si on se donne rendez-vous quelque part. Tu es où ?

Ben lui explique.

Nouveau silence. Entre associés, il faut se tenir les coudes.

— Devant la Grande Poste, ça t'irait, non ? suppose Marco.

— Ma foi..., dit Ben.

— Bon. Si ça bouge comme il faut de mon côté, je t'appelle. Je te promets rien.

— C'est important, gars.

— Tu restes à ce numéro?

Ben réfléchit à toute allure et se décide.

— Oui.

— Je vois et je te dis.

— Merci.

Ailleurs, quai Tilsitt, Jan Lubba regarde par la fenêtre de son cabinet. Avant de partir pour l'Opéra sa femme l'a appelé, comme chaque soir à cette heure-là, pour faire le bilan de la journée. Une nouveauté : Dora ne dort pas à la maison ce soir. Chez une copine, pour travailler. Pourquoi pas. Quoique, avec l'histoire de ce matin, le psychanalyste se demande s'il n'y a pas chez sa fille comme une sorte de fuite, de culpabilité non mentalisée dans un conflit déplacé vers l'autorité professorale qu'elle ne peut exprimer avec lui.

Pas mal trouvé, ça, soupire le barbu qui, pour mieux entendre, est à moitié sorti du cadre accroché au-dessus de la tête de Lubba. Son costume blanc est devenu grisâtre dans la pénombre du cabinet.

Et toujours cette histoire de poids qui lui taraude l'esprit, il en voit tellement de ces gamines de quinze ans et plus qui virent squelette sans paraître s'en rendre compte. D'autant que c'est la grande mode actuellement, la nouvelle méthode subversive pour vraiment emmerder les parents, les médecins, les psy, et toute la société. Les seules à y gagner, ce sont les revues pour adolescentes. Avec les titres qui vendent. «L'anorexie et l'amour», «Mon premier baiser d'anorexique» ou «Je suis anorexique mais j'aime le sexe, est-ce normal?».

Le problème, c'est que c'est une mode à en crever. On n'y comprend rien, mais on en parle de plus en plus, la télé nous abreuve de reportages où des gamines allumettes sourient à la caméra en expliquant qu'elles sont en train de mourir mais que ce n'est pas grave du tout. Une a même révélé un jour qu'elle s'arrangeait pour rester un kilo au-dessus de la limite pour ne pas affoler l'équipe qui la suit. Dingue. Quelle maîtrise. Ou alors, c'est la boulimie. Tu te pèses toutes les semaines pour l'émission *J'en ai assez d'être grosse* pendant que ton docteur sourit à la caméra en oubliant de fermer sa blouse blanche et de rentrer son ventre. Belle calvitie, bronzage élégant, une chaîne de trois kilos au milieu des poils. Les filles ne marchent pas, elles courent. Et il paraîtrait que les mecs seraient intéressés.

Sans oublier les émissions sur la cuisine.

Sa patiente est silencieuse depuis cinq minutes. Lubba s'est laissé entraîner par ses habituelles pensées antisociales. Il a l'impression de raisonner à contre-courant et de cracher dans la soupe. Parce que les psy, c'est pas tout bon non plus, il y a aussi du ménage à faire, non ? D'accord, mais nous, nous sommes *peanuts*. En disant ça, j'évoque les gros consommateurs de la médecine, le poids, l'estomac, le dos, le stress, le cholestérol, l'hyperactivité et bientôt la fatigue chronique chez la ménagère de moins de cinquante ans, la dernière maladie dans les tiroirs. Tout ça rapporte un maximum. Les médocs. Quant aux vieux, soit ils sont bien portants et ils dépensent comme des malades, soit ils sont déments et ils coûtent. Les pauvres, circulez, comme disait Coluche, allez crever de faim plus loin. Non. Faut s'arrêter avant, les gars. Pour simplifier, Jan Lubba n'aime pas ce que devient la société et il a peur des médecins. À travers sa chemise, il tâte le bourrelet que son manque d'activité physique a fait pousser en dix ans. Il s'en moque. Il fera un trou de plus à sa ceinture.

— J'ai fait un autre rêve cette nuit, dit soudain la patiente allongée sur le divan. C'était en Angleterre, j'étais perdue. J'avais très peur. Il y avait beaucoup de gens autour de moi et tout le monde me regardait. Je pensais que j'étais mal habillée. Heu... Peu habillée... Je me suis réveillée, j'étais très angoissée.

Une vieille histoire. Toujours le rêve où elle est perdue. C'est le second aujourd'hui, pensa Lubba. Associé il y a dix minutes sur la saleté. Faire le ménage. Ou la lessive.

— Perdue ? fait-il de sa voix douce.

— Oui.

— Peu habillée, peut-être nue ?

— Oui, complètement nue. Devant tout le monde. C'était normal, en fait, mais j'avais très peur.

— Normal ?

— Oui. D'autres gens étaient comme moi. Mais je ne voulais pas qu'on me voie.

— Normal, hum... Vous avez dit sale, à propos de votre rêve précédent.

— C'est vrai.

— Sale et perdue dans la rue ?

— Oh ! Une fille perdue ! Une putain ! crie-t-elle en se mettant à pleurer.

— Bien, fait Lubba.

Silence. La femme se met à renifler.

Lubba respire, pour une fois la séance va se terminer sur un apaisement.

Même Freud est soulagé. Il reprend sa position digne et distante, l'œil lointain et pénétrant. Il commençait à prendre des crampes à force de rester penché en dehors du cadre.

Je pense que tu exagères avec cette histoire d'anorexie. Remarque, je ne suis plus au courant de ce qui se fait actuellement.

Quand même, Dora s'habille large. Il ne l'a pas vue en petite tenue depuis longtemps. Il a demandé à sa femme, supposant qu'elles partagent cette intimité-là, mais non, Dora est très pudique, elle ferme toutes les portes à clé. Alors mystère.

Puis Lubba chasse ces idées et respire un grand coup. Cette histoire de poids continue d'associer dans sa tête comme une tâche de fond dans un disque dur. Il se demande dans le nouveau silence de sa patiente ce qu'il va manger ce soir. Question importante puisque son épouse est très souvent absente à l'heure du dîner. Marion. À cette heure, elle en a fini des répétitions. Il l'imagine, il la voit, il est avec elle. Il se laisse entraîner au milieu des vocalises et des grincements d'archet, on s'accorde, les chaises craquent, les musiciens discutent à mi-voix. Lubba est au milieu du chœur, on parle de chant, on évoque la prochaine tournée, certains détaillent leurs petits soucis de santé, d'autres leur nouvelle voiture. Comme partout.

Ce soir, je fais des pâtes. Carbonara.

14

Rumi n'a pas volé son nom. Le mauvais cheval qui rumine des heures la même avoine pourrie, le parano à qui tout le monde en veut et réserve un chien de sa chienne. La bagarre de midi avec Ben a laissé des traces, et pas de celles que l'on peut effacer avec six bières et un paquet de chips. Rumi se sent humilié, méprisé, il a la haine.

Comme il ne sait pas réfléchir, tout ça tourne en rond dans sa tête comme des mouches dans un bocal. L'image est forte et originale, surtout que ce sont de grosses mouches vertes et dodues. Il a refait le plein bières-chips au Casino en bas.

Une gorgée, une poignée. Ça n'avance pas vite. Au bout d'un moment, il décide qu'il n'y a aucune raison qu'il se laisse faire. C'est parti. Le Ben, il va se le crucifier. Bien dit. Il tient de nouveau la forme. Bière, chips, haine et anarchie. Putain de slogan. Comme souvent, il se sent partagé entre une sorte d'amour universel et une haine totale pour tout ce qui vit et qui bouge. Ça se télescope dans sa tête, dans son cœur, il est parcouru par ces courants contraires. Il te rencontre, il t'embrasse et il te file aussitôt un coup de pied dans les couilles. Souriant les dents serrées, excité comme une puce, les dreads à l'horizontale et la trogne rouge d'acné. Ses jambes s'agitent sur le parquet, elles dansent la rumba immobile. Bientôt il va nous faire le pas de deux sur son tabouret.

Une idée lui tombe dessus. Téléphone.

Marco décroche. Rumi, Ben et encore Rumi! Ils ne peuvent plus se passer de moi, ces mecs!

— Marco, j'ai pensé à un truc.

— Oui.

— J'ai pensé que c'était un peu idiot de se fâcher avec Ben.

— Oui.

Marco se fout des états d'âme de Rumi.

— D'autant qu'on forme une bonne équipe.

Marco écoute d'une oreille distraite, il y a une émission marrante à la télé.

— Oui, dit-il à tout hasard.

— Tu serais d'accord? demande Rumi.

— Ça dépend, recule Marco.

— Je te répète qu'il n'y a aucun risque.

Comme il n'a pas entendu le début, Marco recule encore.

— Aucun risque! Avec toi, il n'y a jamais de risques. Les prisons sont pleines de mecs qui disaient la même chose.

— Parle pas de malheur.

— Je parle de prudence, c'est tout. Dis-moi, c'est quoi, ce bruit dans le téléphone?

— Des chips.

— Ah.

— Il faudrait en discuter, dit Rumi.

— D'accord.

— Tous les trois, ce serait bien.

— Ce soir, c'est pas possible.

Marco est au moins certain de ça. Son programme est tracé depuis quinze jours : une soirée tranquille avec la femme d'un client du Double Basic, un type qui voyage beaucoup. Cette semaine, c'est la Suède, paraît-il.

— Merde, fait Rumi. Et il est où, Ben?

Tout ça pour en arriver là, en espérant que Marco...

— Je sais pas, moi, fait Marco qui a envie de raccrocher et qui ajoute sans réfléchir : je crois qu'il a un plan dans le centre, près de la place Ampère. Rue d'Auvergne, un nom comme ça.

— Le truc du grossiste? demande Rumi qui crie «Bingo Bingo» dans sa tête.

Les salauds, on me prend pour un nul, vous allez voir si j'en suis un.

— Quel truc du grossiste? fait Marco qui a moins envie de raccrocher. Quelque chose qui concerne nos affaires?

— Oui, probable, fait Rumi qui change brusquement de ton. C'est pas loin de Bellecour, son plan, il m'en a parlé...

— Mais non, c'est au début de la rue, il m'a dit. Un numéro, il y a un 7 dedans, je ne me souviens plus.

Isabelle Vital-Ronget arrive chez elle. Sur le palier devant sa porte, il y a un attroupement. La concierge, deux copropriétaires et surtout deux travailleurs portant des casquettes Gaz de France. Ce petit monde la fixe comme si elle venait d'agiter sa crécelle.

— Il se passe quelque chose chez moi? elle demande.

— Chez vous, on n'en sait rien encore, répond la concierge qui laisserait volontiers planer un doute (on n'est vraiment pas du même monde, ça se croit, mais ça se croit!), on cherche.

— On cherche, confirme un des deux gaziers qui n'a pas l'air d'avoir inventé l'eau tiède.

Son copain hoche la tête.

— On allait péter votre porte, à tous les coups, dit-il, regrettant presque de ne l'avoir pas déjà fait.

— Les flics seraient arrivés plus tôt, vous n'y coupiez pas, confirme l'un des deux occupants de l'immeuble qui est bien heureux que cela ne se passe pas chez lui. Il faudrait les rappeler, non?

— Ouais. Bon, alors, vous ouvrez? Vous n'allumez pas, hein.

Mlle Ronget ouvre. Renifle avant d'entrer. Ne sent rien. Un gazier la pousse en grommelant «Scuzé». L'autre le suit en allumant une lampe torche spéciale. Le coup de l'étincelle. La concierge entre à son tour, les autres aussi. Isabelle est reléguée dans un coin tandis que les hommes bousculent ce qu'ils trouvent sur leur passage.

— Il est où le compteur?

— Là, fait Isabelle en montrant un cagibi.

— Où, là?

— Là.

Elle se plante devant et la torche l'éclaire.

— Tu sens quelque chose, toi ?

— Non, répond son collègue qui complète avec un sourire mauvais, mais ça ne veut rien dire.

— T'as pas tort. On a vu des immeubles exploser pour moins que ça.

Bien entendu, il a fallu chercher d'autres outils, descendre, remonter, se concerter encore, tout bousculer dans l'appartement et finalement appeler le chef.

Et soudain, presque magiquement, les flics sont arrivés.

L'affaire est plus grave qu'il n'y paraît, songe Isabelle Vital. Elle avance d'un pas pour les accueillir, mais les deux équipes semblent se connaître de vue. Elle est repoussée une fois de plus dans son coin.

— C'est vous qui avez appelé ?

— Rapport à l'ouverture de la porte de madame. Elle était absente. Force majeure.

— Bien sûr.

— On a attendu avant d'ouvrir.

— Pas pu venir plus vite, les embouteillages, avec cette neige.

— De toute façon, y a plus besoin, puisqu'elle est là !

— Ouais.

Et ça discute encore, ils sont cinq maintenant à porter des casquettes différentes. Au bout d'un moment, un des spécialistes annonce :

— Ça doit pas venir d'ici.

— Ah, font les autres.

Finalement, le gazier fait l'expérience qui tue, c'est du moins ce que pense Isabelle Vital-Ronget. Avec une pipette il envoie une giclette d'eau savonneuse sur les branchements du compteur. À cinq pour faire ça ? Rien ne se passe.

— C'est bon ! il conclut en se redressant.

La troupe ressort à regret en bavassant sur leurs horaires de travail.

Et la concierge conclut :

— Heureusement qu'ils ne vous ont pas pété la porte, ça aurait été pour rien.

Isabelle, pourtant douce et bienveillante, lui aurait bien pété la tête.

Et la voilà seule dans son hall d'entrée. En colère, elle tremble, elle ne sait pas quoi faire, casser quelque chose, hurler, cogner sur un mur ? Le tapis est en tas, mâchuré par les chaussures des travailleurs, les fauteuils sont déplacés. Dans la cuisine, le carrelage est parcouru de glissades noirâtres, la cuisinière a été tirée jusqu'au milieu de la pièce, derrière c'est cra-cra, et le chauffe-eau est débranché. Bien. Quelques larmes ou pas ?

C'est une femme de caractère, Isabelle se dit que cela n'en vaut pas la peine. Elle décroche son téléphone. Ernest. Mon vieil Ernest, changement de programme, on va faire la dînette chez toi. Ne discute pas, je t'expliquerai. J'apporte la quiche que j'ai faite à midi, tant pis pour le poulet à la diable que j'avais prévu. Débrouille-toi.

S'il dit «Heu... Les voisins !» je le tue, pense Isabelle qui prend goût à la violence.

Eh bien, non, Ernest paraît très heureux de ce changement. Il annonce qu'il s'occupe de tout et qu'il a déjà une idée pour la suite du programme.

Pendant ce temps, au troisième chez les Boussac, il y a grabuge. Chez les Boussac, il y a souvent grabuge. Les mêmes causes, les mêmes effets.

Le père, qui a passé l'après-midi avec des clients dans un restaurant rue Mercière, vient de rentrer un peu allumé. Dans le salon, Aurélie est vautrée tout habillée sur le canapé devant la télé. Brusquement, sa fille le dégoûte. Ce crâne, ses saloperies de piercings, ses fringues de clochard, son maquillage de sorcière... Boussac s'est envoyé quelques cognac après les pots de beaujolais et les quatre tournées de pastis, alors il explose :

— Tu ne pourrais pas t'habiller comme une jeune fille de ton âge, on dirait une pute !

Il l'a dit.

Content sur le coup. Moins content après. Aurélie vient de se redresser. Elle est stupéfaite et, au milieu du fatras des couleurs, apparaît le visage de bébé qui sommeille toujours en elle.

Son père réalise.

— Excuse-moi, Aurélie, je ne voulais pas dire ça.

— Pute, tu l'as dit.

— Je sais. Excuse-moi.

— Facile. Tu balances et après tu t'excuses.

— Je ne voulais pas.

— Et si ça me plaît, à moi, d'en être une ?

— Ne dis pas ça, ma chérie.

— Ma chérie ! Merde !

— Ne dis pas ça.

— Je vais me gêner. Tu te gênes, toi ?

Elle aussi a envie de balancer. Son père pue la gnole à trois mètres. Mais toute punk qu'elle est, elle n'ose pas l'affrontement direct.

La dispute s'arrête net. Un bruit de clés. Maman.

Elles se passent le relais sans le moindre mot, au feeling, c'est de la génétique pure. Aurélie est retournée devant la télé. Chaîne 89. Des gens s'agitent en gros plan, ça chante, ça hurle, c'est jeune.

Maman a tout de suite compris la situation. À voir la tête butée de sa fille, il y a embrouille entre son mari et elle. Lui a les yeux rouges, le visage brique et il se tient les pieds écartés. Un signe qui ne la trompe plus depuis longtemps. Bourré. Au début, elle mettait les ivresses de son mari sur le compte du stress, du métier et de son besoin de réussir. Elle comprenait, elle acceptait.

De la farandole, tout ça, son mari est un poivrot. Aucune excuse. Il aime le banquet, manger gras et boire bon. Cela fait bien longtemps qu'elle n'éprouve pour lui que mépris. Pourquoi tu restes, alors ? elle se demande.

Comment je mange ? elle se répond. Les pensions, ça existe, les avocats aussi. Je vais me faire avoir, c'est un malin, il a plein de copains. Tu te fais avoir toute seule, t'es con. Je sais, je suis con. Et Aurélie qui le cherche. Aurélie, elle fait ce qui est de son âge, tout ce que tu n'as jamais osé faire, raconte ta vie, pour voir. Je suis con, je sais.

Maman file à la cuisine, elle en a marre de se dandiner

avec son cabas à provisions qui pèse une tonne. De toute façon, je ne suis bonne qu'à ça. La bouffe et la baise. Pour la baise, il fera tintin, tiens. Pour ce que ça me fait. Son mari la suit. Ils ne prennent même pas le temps de fermer la porte que déjà jaillissent cris, reproches, insultes. On n'en est pas encore aux coups, mais c'est limite. Boussac aimerait lui faire fermer sa gueule d'une bonne tarte. Soûl et grossier, l'assureur.

C'est là que la mère Boussac est parfois aussi sotte que sa fille. Elle connaît pourtant le principe. La scène va durer une heure. Peut-être deux, parce que Boussac bourré répète volontiers et tout ça prend du temps. Ils vont se jeter à la figure leurs trente ans de mariage, leurs erreurs, leurs défauts, leurs familles, leurs mères, ils vont échanger rage contre rage, haine contre haine. Et ensuite, quand tout le stock sera épuisé, eh bien, la fatigue les apaisera. Et qui sait si le lit ne les réconciliera pas.

Aurélie finit son clip. C'était un groupe trash des années 80 qui vient de refaire surface. Grave nul, le chanteur a perdu ses cheveux. La reine des tantes, lifté jusqu'aux dents. Elle jette le zappeur sur le canapé et se lève. Je ne peux pas rester dans cette baraque de dingues. Elle entend à travers cloisons et couloir les cris de ses parents. Je remonte chez Étienne. Faire la pute, juste ce que je suis.

Elle ramasse ses clés, son portable et sort de l'appartement. Au même moment l'ascenseur s'arrête au troisième étage. Cling, font les portes intérieures qui cachent maintenant les vieilles grilles et les boutons en Bakélite. Elle s'arrête, surprise. Une femme sort de l'ascenseur, un sac en bandoulière, elle porte un moule à gâteau enveloppé dans du papier alu couvert de neige. La classe, la cinquantaine du quartier, une queue-de-cheval, un visage un peu maigre mais sympa, le manteau gris avec le petit col en velours noir.

— Bonsoir, mademoiselle, dit-elle.

— Heu, bonsoir, fait Aurélie.

La femme se dirige vers l'appartement d'en face, sonne. La porte s'ouvre aussitôt et le vieux de la Salle prend la femme dans ses bras, l'embrasse et la fait entrer chez lui sans s'apercevoir qu'Aurélie les regarde. Le vieux salaud, toujours à faire la morale aux autres (à elle en particulier, son allure, ses études, ses copains, il y a de quoi faire) et le voilà pris en flagrant délit. Aurélie se marre. Elle trouve ça plutôt rassurant. En même temps, d'avoir été traitée de pute par un père ivre et con lui donne le droit de toutes les audaces.

Elle s'approche du couple pour tourner dans l'escalier, de la Salle lui tourne le dos maintenant, la femme toujours dans ses bras, on dirait qu'ils dansent, il ne fait pas attention mais la femme ouvre de grands yeux quand elle comprend ce que vient de dire Aurélie, avant que la porte se referme :

— Je monte chez votre fils. Au grenier. Juste pour baiser et écouter un peu de musique.

Aurélie passe devant la porte et monte les premières marches en tortillant un peu les fesses, pour personne, juste pour se dérouiller les articulations.

En deux minutes, il a préparé son affaire. Le couteau en premier dont il fait palpiter la lame dans la lumière de la cuisine. À chaque déclic, une étincelle claque au fond de lui. Il fait le malin, il joue au surineur, mais sa lame n'a mordu dans aucune chair.

Puis il prend un trousseau de rossignols trouvé aux Puces, rouillés et tordus. Rumi en a nettoyé et redressé un, mais il ne sait pas encore s'en servir. Il s'est entraîné sur sa propre porte et il a failli casser la serrure. Il attend l'inspiration, ça peut être utile. Des gants. Un bonnet qui pourrait faire passe-montagne avec des trous pour les yeux. Deux coups de ciseaux, pas tout à fait à la même hauteur. Il s'y croit, Arsène Lupin du ghetto, débile, méchant et plein de bière. Un rien surjoué.

Métro, changement à Charpennes puis ligne A, direction Perrache. Il parle tout seul. Agite la langue devant une gamine qui lui fait un doigt en retour. Rictus. Ampère-Victor Hugo. Facile. Il fait nuit, il neige et les passants rasent les murs. Ses chaussures crissent. Le silence est spécial, il fait presque peur. Place Ampère. Il n'avait jamais remarqué la statue. De toute façon, il ne met jamais les pieds dans ce quartier de riches. Rue d'Auvergne. Quel numéro il a dit, déjà ? Avec un 7. Il y en a plein, la rue n'est pas si courte que ça. Le 7 est le plus prêt, il y file. Une connerie d'art à chier en devanture. Une plaque de cuivre discrète, ça sent le fric, tout ça. Des étiquettes sur l'Interphone. Des initiales, bande d'enfoirés.

Devant la complexité de l'affaire, il poursuit jusqu'au 17. Sur le trottoir en face, au 20, il y a une grosse maison aux fenêtres illuminées. Des esclaves habillés en cuisiniers sont en train de charger des containers en inox dans un camion. Logo traiteur, des mains qui offrent une grosse toque au client. La roulante. Les commis s'activent, certains courent, d'autres hurlent des ordres, ça sent la friture. Rumi a faim. Des chips.

De son côté, le 17 est occupé par une boutique de tissus ethniques. Un échafaudage occupe toute la façade. La vente continue pendant les travaux, c'est écrit sur la vitre, mais c'est tout éteint. Il lève la tête. Il lit la pancarte accrochée à la hauteur des fenêtres du premier étage : « Pirelli, le spécialiste de la réhabilitation en centre-ville » et des femmes à poil, ajoute Rumi, fier de sa culture. Ce n'est pas là. Le 27 ? Il y file en courant. Satanitas, c'est une école privée. Un truc de nonnes, Sainte-Rosalie du Calvaire ou un truc approchant. Il a froid, avec toute cette neige, pas question d'aller plus loin. Il va au plus simple. Retourne au 7. Il appuie sur tous les boutons en même temps.

Chez de la Salle, on est maintenant dans la salle de bains.

Les paroles d'Aurélie, bizarrement, n'ont pas marqué Ernest. Il a dû entendre, certainement, mais il n'a pas intégré, trop captivé par l'arrivée de son amie. Isabelle, si, qui a encore le regard de l'adolescente dans les yeux. Elle a simplement murmuré : « J'ai croisé une drôle de fille, dans le couloir... » C'est la fille Boussac, a répondu le retraité comme s'il disait c'est une Twingo. Ils ont continué de semer leurs vêtements en s'embrassant comme des enfants dans une chorégraphie de printemps.

Puis une buée pudique sur le miroir tamisera les jeux d'eau, les envolées de bulles, les deux corps plus tout jeunes enchevêtrés dans l'éther mousseux. La différence d'âge a disparu, les deux sont tassés face à face, genoux mêlés sortant de l'eau, les mèches mouillées plaquées sur les crânes. Les peaux luisent de plaisir, certaines sont fripées, d'autres vont bientôt le devenir, mais les yeux brillent, les lèvres sourient, embrassent, murmurent des mots sans suite, les langues lèchent, s'enroulent, les mains glissent, caressent, effleurent.

Le seau à champagne est posé à côté du mitigeur. C'est la fête, la sonnette peut aller se faire voir. Vas-y, insiste tant que tu veux, dit Ernest en sortant la bouteille de la glace.

En face, il n'y a pas eu de réaction tout de suite.

Un quart d'heure avant, la porte avait claqué. Fort. Cela avait été une sorte de signal. Mme Boussac avait dû dire quelque chose du genre : « Tiens, Aurélie vient de sortir » et le mâle, stoppé net dans sa colère, avait crié : « Tu m'emmerdes » avant de filer au salon où il avait basculé sur le canapé. En dix secondes il s'était endormi.

Maintenant il ronfle et il bavouille. Dégueulasse.

Marie-Cécile Boussac est simplement restée dans la cuisine pour finir de ranger ses courses et se préparer un verre. Gin tonic. Pour se remonter. Gin limonade, en fait. Elle boit tout de même une bouteille de Gordon par semaine, les bons jours. Parfois, un peu plus, mais elle n'exagère pas.

« La limonade, ça me rappelle tellement mon enfance », dit-elle invariablement à l'épicerie. Le gin, elle l'achète ailleurs, dans l'anonymat d'une grande surface en précisant : « Oh, ce soir, nous avons encore une soirée », comme si cela intéressait la caissière.

Elle feuillette *Femme Pratique* et ça la déprime. Pratique, oui, pour les esclaves comme moi. Elle a besoin de se détendre. Elle sirote. Se sert encore un petit verre. Le quatrième. Le dernier, juré. La bouteille de tonic a rendu l'âme. Elle s'en fout. Gin pur et allons-y.

La sonnerie a retenti au moment où elle allait porter le verre à ses lèvres. Elle le pose sur l'égouttoir. Qui cela peut être ? Le type en blanc assis sur la banquette ? Une hallucination, ma vieille, rien d'autre, en hiver, personne ne s'habille en blanc. Et pourquoi il aurait sonné, hein ? Puisqu'il était déjà entré. Et d'ailleurs, personne ne s'est jamais assis sur cette foutue banquette.

Marie-Cécile réfléchit encore, elle est intriguée. Aurélie a ses clés, le mâle roupille et alterne ses ronflements avec des pauses respiratoires de plus en plus fréquentes, elle l'entend de la cuisine. Et s'il nous faisait une bonne apnée, une vraie, une longue, une qui dure... Elle croise machinalement les doigts. Elle reprend son verre et le vide, grimace. Waouh, ça picote au fond de la gorge. Elle rigole. Une cigarette, maintenant, pour envisager tous les vices. Elle ne l'allume pas, elle y pense toujours, quelqu'un a vraiment sonné, en bas, dans l'allée, elle en est persuadée.

Finalement elle se lève et va appuyer sur le bouton de l'Interphone.

— Monte, si t'es un homme, elle glapit au mur en rigolant.

15

Par contre, chez Kennedy, on a réagi.

Dans l'état de tension qui règne ici, ce n'est pas étonnant. Francine se redresse soudain, inquiète, sourcils froncés, comme une oie cendrée explorant son environnement. Puis Ben se lève brutalement, il se précipite à la porte, l'ouvre et s'avance sur le palier. Personne. Il n'a pas pensé à la sonnerie de l'Interphone. Derrière lui, Dora a fait quelques pas hésitants.

Ils restent tous les trois figés dans leur position.

Ils attendent.

Tout de suite, ça vient d'en bas, on entend des bruits de pas précipités, d'abord légers puis de plus en plus lourds qui frappent la pierre de l'escalier, c'est pressé, ça se démène drôlement. Puis des vocalises essoufflées se rapprochent. Un type se matérialise enfin qui débouche et glisse sur le palier en reconnaissant Ben. Toujours commencer par le dernier étage quand on fait dans le systématique, tous les choureurs vous le diront.

Face à face, Ben et Rumi. Au second plan, Dora, toujours dans sa parka, une main dans une poche, l'autre tendue en avant comme si elle voulait protéger Benjamin. Et en arrière-plan, une petite vieille qui tremblote, appuyée au dossier d'un fauteuil.

— Salut, râle Rumi en tentant de reprendre sa respiration. Putain d'ascenseur, il a jamais voulu démarrer.

— Tu fais quoi, là ?

— Attends... J'ai du pif, j'ai le sens... peut pas me... semer facilement...

Rumi avance. Ben essaie de s'interposer brièvement, mais il renonce et le laisse passer. La bagarre, ce sera plus tard, s'il y a bagarre. D'abord, voir ce qu'il veut.

Ben a un peu mal à la tête. Il se sent un peu engourdi, cotonneux. Il entre à son tour, referme la porte et se plante dans le vestibule, jambes écartées. D'un geste il fait comprendre à Dora qu'elle ne doit pas rester près de lui. Lui répond une moue d'incompréhension. Il hausse les épaules.

Francine Kennedy fait un pas en avant vers le nouvel arrivant.

— Bonsoir, jeune homme, je présume que vous êtes un ami de mes hôtes, dit-elle d'une voix un peu chevrotante.

Elle s'avance mais ne tend pas la main. Celui-là a l'air plus sale que le premier. L'air antipathique. Elle est inquiète. Tout de suite, c'est comme un flash qui lui traverse la tête d'est en ouest, elle pense à l'homme qu'elle avait rencontré un matin devant la sortie du métro. Il baragouinait, il n'arrivait pas à tenir debout, mais il voulait de l'argent. Ça avait duré longtemps, il insistait, et plus il insistait, plus il se cramponnait à elle. Puis quelqu'un était venu, l'avait écarté, et voilà, elle avait pu... Qu'est-ce qu'elle avait fait ensuite ? C'était le jour où elle avait joué au Loto ? Ou le lendemain ? Mais non, je ne joue jamais au Loto, j'ai déjà tellement d'argent. Mais si, rappelle-toi, tu avais pris un ticket en achetant tes Craven au bureau de tabac. Un ticket avec des cases rouges. Des croix dedans. Le monsieur le voulait aussi, il me tirait le bras. Mais non... tu mélanges tout. Je ne me souviens plus.

Rumi ne dit plus rien, il se contente de souffler. Il fait lentement le tour de la pièce. Il inspecte les tableaux, essaie de déchiffrer les signatures comme un commissaire-priseur, il passe la main sur le galbe d'une commode, il se penche en sifflotant pour caresser le pied d'un fauteuil.

— Louis XV, non ? murmure-t-il.

Expertise rapide d'un connaisseur de rien du tout.

Il a fini son tour et revient se planter au centre du salon.

— Putain ! il fait en grimaçant.

— Oui, dit Ben.

— Merci, dit Francine qui, par l'intonation, a cru comprendre qu'il s'agissait d'une sorte d'hommage à sa richesse et à son goût pour la décoration.

Rumi regarde encore et encore.

— Cher, tout ça, il murmure, cher cher...

— Oui, dit Francine.

Ben est comme un poireau oublié dans le gel, se dit Rumi, il est trop seul dans la vie, et ce n'est pas le genre à avoir des relations pareilles.

— C'est de la famille de la merdeuse, alors ? il suppose comme s'il réfléchissait à la question depuis des jours.

Silence. Dora baisse la tête. Benjamin secoue la sienne, ça veut dire non, pauvre crétin.

— Une fan, une copine ? Une vieille pour le thé et les petits gâteaux, j'aimerais bien, moi aussi.

Il grimace.

— Du thé ? fait Francine.

— Il ne veut pas de thé, il va partir et nous laisser, répond Ben.

— Mais non, *il* ne va pas partir. *Il* va rester un peu, *il* a bien le droit de profiter aussi, hein, Ben, puisqu'on lui doit plein de fric, n'est-ce pas, mon biquet ?

Comment il a fait ? Biquet. Comment il a trouvé ce petit mot de rien du tout qui sonne comme un mot d'amour dans la bouche de Dora ?

La jeune fille rougit. Ben ouvre la bouche. L'intuition des nuls, la fulgurance du débile. Biquet, ça devient presque une insulte entre ses lèvres.

Ils vont se fritter. Obligé. Ben en a envie. Ben en a besoin. Toute la rage qu'il a accumulée aujourd'hui piaffe derrière ses poings, elle lui demande de frapper, elle le commande. Comme une faveur, elle l'implore, vas-y, s'il te plaît, cogne-le, explose-le. Mais Dora se tourne vers lui. Elle a compris ? Dans ses yeux, comme si elle le suppliait. Elle ne veut pas que Ben se batte. Alors Ben remet ses poings dans ses poches.

L'autre tourne toujours, il fume maintenant, il tousse, secoue la cendre par terre. Il revient vers la vieille femme.

— À propos, grand-mère, vous avez une cave ? il demande.

— Mais oui.

— Avec de bonnes bouteilles dedans, je suppose.

— Bien entendu.

— Beaucoup ?

— Je ne sais pas, je n'y suis pas descendue depuis qu'ils ont installé la nouvelle télévision.

Francine a une voix pleine d'assurance maintenant. Elle ne chevrote plus. Elle paraît fragile de loin, mais elle sait se faire respecter. C'est peut-être le même homme, qui sait ? Celui qui voulait son argent. Non. Il ne lui ressemble pas, celui-là parle mieux français. Il faut tout de même faire attention. Et puis les idées glissent... Ce ticket de Loto... Je l'ai rangé quelque part, je ne me souviens plus où. Il faudra que j'en parle au docteur Baldinet. Pas du ticket de Loto. Non, du fait que je perds tout. Et la mémoire aussi. Tout cela est bien ennuyeux.

— Bien, fait Rumi.

— N'y pense même pas, dit Ben.

— Je pense ce que je veux, chef de mes deux, juste ce que je veux. Penser, c'est pas faire, on t'a jamais appris ça ?

— Si.

— Qu'est-ce que vous voulez ? demande Dora tout à coup. Impossible de lui échapper. Il a essayé, pourtant.

Depuis qu'il est entré, il a compris. Il évite de poser ses yeux sur elle, il évite de croiser son regard. Maintenant, ça lui fait mal d'être obligé de la dévisager. Le ventre serré, il a, Rumi. Tout est serré, chez lui. Cette fille, elle est mignonne, putain. Même pas mignonne, belle, plus que belle, il n'y a pas de mots ou, s'il y en a, il ne les connaît pas. C'est la super classe, le genre de porcelaine qu'il ne pourra jamais approcher, il le sait. Encore un terme bizarre dans sa tête. Comment a-t-il trouvé ce mot de porcelaine ? Parce qu'il la sent fragile ? Le genre de rareté impossible à toucher, à caresser de loin, à ne pas abîmer. Comme quoi, il a une certaine forme d'affectivité, Rumi. Une certaine forme, pas plus. Qui peut évoluer rapidement, au gré du vent. En fait, cette merdeuse, c'est presque une princesse, c'est abuser, pas comme celles qu'on voit dans les magazines au bras d'un joueur de foot, elle est encore mieux qu'elles. Jamais vu ça, se dit Rumi. Comment il a fait, ce connard de Ben ? Qu'est-ce qu'il a de plus que moi ?

Rumi, déjà rouge, rougit encore plus.

« C'est la copine de Ben », murmure une voix dans sa tête. Il se le répète pour se faire du mal, ou pour s'en convaincre. « C'est la copine de Ben. »

Salaud. Les meubles, la cave, c'était pour faire diversion, ça n'a servi à rien.

Il allume une nouvelle cigarette après avoir balancé l'autre dans un plat en cristal qui doit faire cendrier sur la table du salon. Ça ne l'apaise pas. Alors il fume encore plus fort en creusant ses joues comme s'il tétait l'oxygène de sa survie. Il regarde ses vieilles Adidas. Elles sont trempées et pleines de taches. Je suis un pauvre, vérole de vérole, un pauvre et regarde-moi tout ce qu'il y a ici, regarde-moi cette fille, regarde-moi tout ce fric !

En trois taffes il grille le nouveau mégot et le balance sur le parquet, cette fois. Francine se précipite, le ramasse en faisant la grimace et le dépose dans le plat.

— Vous pourriez faire attention, dit-elle.

Rumi n'a pas entendu. Il s'en fout, de cette vieille. Elle n'a même pas une tête de vraie grand-mère. Son œil tressaute nerveusement. C'est comme la gamine, elles se sont bien trouvées, ces deux-là, elles sont en dehors du monde, l'une avec son blé, l'autre avec sa beauté.

Nouvelle saute de vent. Capricieux, le vent. Tournant et retournant les situations comme un rien. Rumi regarde maintenant Dora à la dérobée. Pour survivre, il faut se rabattre sur une idée à sa portée, pas viser trop haut, gars, reste là où tu as l'habitude. Imagine, si ça se trouve, c'est une petite salope qui est née dans la soie, c'est tout, avec la chance comme étoile au-dessus du berceau et des parents bien, pas des prolos qui bossent en usine ni des fonctionnaires à la con.

Maintenant que les plaidoiries sont finies, le vent se calme et le verdict tombe : c'est juste une petite pute qui considère les mecs comme lui comme de la merde. Ça a quel âge, ça ?

Seize, dix-sept ? Et ça frime déjà, ça parle comme si le monde lui appartenait et ça baise avec un petit truand comme Ben pour s'encanailler entre deux soirées chicos ?

Rumi ne sait plus ce qu'il pense. Il ne sait plus où il en est, il dérape, il mélange tout, les revues people, la télé, il vire du révolutionnaire au paparazzi, homme d'affaires, imprésario ou coupeur de tête, régicide même, s'il savait ce que c'est, victime du monde ou tueur de tout ce qui frémirait sans son autorisation.

Il pose la main sur la poche de son jean et caresse son couteau qui fait saillie. Le pouvoir, il le veut. Le pouvoir de faire crier cette petite garce et l'obliger à demander grâce. Lui foutre sa bite dans la bouche et lui faire dire qu'elle aime ça. Et que tout le monde le sache. Cette belle meuf, mouais, c'est ma copine, l'air de rien, elle suce, si tu savais.

Heureusement, Ben ne sait pas ce que pense Rumi. Sinon il y aurait déjà du sang sur les murs. Mais quelque chose dans ses yeux, quelque chose dans sa manière sale de regarder Dora lui fait comprendre le plus gros. Il le connaît, Rumi, il connaît sa faculté d'exaltation, surtout quand il a bu, et aujourd'hui, il a bu. Visiblement il ne s'est pas arrêté de boire de la journée. Ben se dit qu'il va probablement y avoir des moments difficiles. Il se dit aussi qu'il va falloir se montrer à la hauteur, pas question que Rumi s'approche de Dora, pas question même qu'il lui parle. Dans une sorte d'élan, il se dit qu'il est prêt à mourir pour la défendre. Oui. Mourir, s'il le faut.

Grandiloquent, bien sûr, du romantique de mélo à la gomme, mais, sur le coup, Ben y croit. Comme il a peu à donner, il donne tout. Crédible, mec.

L'atmosphère était devenue tellement oppressante dans ce salon. Et puis ces relents de renfermé le gênaient. On peut être mort et rester sensible aux odeurs. Freud n'en pouvait plus. Il était mal à l'aise et, depuis un moment, il ne tenait pas en place. Cette histoire de thé l'avait décidé à sortir de l'appartement. Invraisemblable, ce thé ! En oubliant son chapeau sur une desserte de la salle à manger. De toute façon, il ne lui allait plus, il lui tombait sur le front. À se demander s'il l'avait porté un jour, d'ailleurs.

Il se promena un peu dans l'immeuble. Finalement, l'architecture était assez voisine de celle de son ancien domicile, carrelage en ciment coloré de volutes Art nouveau, hauts plafonds, couloirs à la peinture passée, même l'ascenseur semblait avoir un lien de parenté. Quoique... Y avait-il réellement un ascenseur Berggasse Strasse ? Il ne se rappelait plus.

En remontant, fatigué, il s'était assis sur la petite banquette de velours rouge située sur le palier du troisième. Il les avait tous vus arriver. D'abord Boussac, un homme râblé qui marchait les pieds écartés pour signaler son ivresse, suivi de Marie-Cécile, porteuse d'un cabas à provisions. Elle l'avait regardé et salué d'un hochement de tête, cela l'avait beaucoup surpris. Puis elle était entrée chez elle. Immédiatement les vociférations et la fureur avaient jailli à travers la porte comme un volcan pulsionnel, une sorte de *Ça* familial auquel on aurait donné le droit de s'exprimer. Éros et Thanatos, toujours alliés dans ces moments-là, avec un avantage pour Éros actuellement. Qui était l'un, qui était l'autre, ou plutôt qui parlait vie, qui parlait mort ? Probablement les deux.

Ensuite un drôle de personnage était apparu et avait violemment claqué la porte. Une imitation moderne qui lui rappelait certains uniformes et certains comportements, les anneaux métalliques sur le visage en plus. Mais là, il s'agissait simplement d'une adolescente au corps mal caché par le treillis, rien de comparable aux jeunes gens qu'il avait connus dans les années 30. Une petite subversion bourgeoise, rien de plus.

Puis une femme était sortie de l'ascenseur. Elle portait un moule à tarte. Ensuite, le vieux monsieur avait ouvert la porte à l'autre extrémité du palier, il y avait eu des embrassades. La gamine était passée devant eux et avait disparu dans l'escalier en tortillant les fesses. Bien. Cet immeuble est parcouru de violents courants sexuels, se dit-il, ça fuse de partout. La vie, non ?

Tout à coup, un énergumène est arrivé, montant l'escalier en gesticulant, respirant comme un soufflet de forge. Un clown ? Freud ne voit que ça. Un incube déguisé en clown qui n'a rien à faire dans un immeuble pareil. Quoique, il y a déjà la jeune fille punk. Il n'y a rien à dire.

Si, il y a à dire. Depuis un moment, une idée s'est immobilisée dans sa tête : la petite Dora est un leurre, une fausse piste. Son père aussi, tout psychanalyste qu'il est. À surveiller un peu, éventuellement, pas plus, il ne peut pas être partout, je ne suis pas Jésus. Le jeune homme, peut-être ? Et la grand-mère, ma foi...

Mais Marie-Cécile... Elle m'a vu. Elle m'a salué. C'est un signe. Elle a besoin de moi. C'est elle, j'en suis certain, à cause de son visage plein de tristesse et de son corps un peu voûté. Voilà une femme qui souffre, il s'est dit quand elle est passée devant lui. Elle lui a tout de suite fait penser à Erika, une de ses petites cousines qui avait pleuré toute sa vie et qui avait fini par se jeter sous un train. C'est elle, à cause des cris qu'elle ne pousse plus, à cause de son silence. Marie-Cécile Boussac. Une femme qui traîne le poids du monde. C'est elle. Il ne sait plus où il en est. Il ferme les yeux, il se sent complètement perdu. Aider ? Un mort qui aiderait une vivante ? Tu délires, Siggy. Thanatos, échec et mat.

Mme Marie-Cécile Boussac attend. Qu'est-ce qu'il fait, le type de la sonnette ? C'était un mec, j'en suis sûre, il n'y a qu'un mec pour me faire poireauter comme ça. Il s'est endormi en route ? Parce que je suis une vieille, c'est ça ? La vie est moche. Elle se pince le nez, incline un peu la tête, signe chez elle de réflexion intense. Un tic qu'elle a copié dans une émission littéraire, comment il s'appelle, celui-là, avec ses lunettes au bout du nez ? Elle ne lit pas que des revues, la mère Boussac, attention.

Bon. Il a changé d'avis. Ou alors, c'est chez machin, en face. Mais elle n'en démord pas, l'idée la suit à la trace ou la précède, oh, pas une de celles qui pourraient transcender la théorie des quanta. Non, une idée simple, une envie plutôt : baiser. Ça lui vient comme ça. Un coup de sonnette et hop. Pas vraiment envie, en fait, c'est juste pour emmerder

Boussac. Moi, c'est quand je veux, avec qui je veux, mon chéri. Je suis une femme libre. Et vieille, ouais. Et alors ? Elle regarde par la fenêtre. Puis la bouteille. Il neige, je vois. On a bu quelques verres, je sais. Sortir serait une sottise. D'accord, on reste sur place, c'est plus prudent, mais on baise. Et pourquoi on ne baiserait pas ? J'y ai droit, moi aussi. Exactement.

À cette heure-là, à moins d'aller faire du scandale dans les bureaux des étages inférieurs... qui sont probablement fermés. Elle éclate de rire à cette idée, elle se voit débouler à moitié nue au milieu des ordinateurs, tourner et danser devant les yeux ahuris des gars qui jonglent avec les lignes des tableurs et les paradis fiscaux ! Ou encore coller son mari de force sous l'eau froide pour le dessoûler, non, ça ne marchera jamais. Ou le Japonais du bas. Pas l'artiste, l'autre, celui qui tient la galerie. D'abord il n'est pas japonais. Et en plus il est homo.

Non, à cette heure-là, de mâle, de vraiment mâle à proximité, elle ne voit que les deux de la Salle. Mais le vieux est trop vieux, toujours en deuil de sa femme, l'œil humide même s'il est capable de lorgner ses seins à l'occasion. Il ne peut faire que lorgner, probablement. Reste le fils, la terreur des greniers, mou du genou et benêt de première. Ce n'est certainement pas une affaire, mais dans l'urgence du manque de tonic, pourquoi pas. Je pourrais monter lui demander s'il ne lui reste pas un fond de limonade.

Elle s'étouffe de rire et renverse son verre. Ce grand nigaud d'Étienne, allons-y. Quoique ça ne soit pas le genre à boire de la limonade.

Et le type en blanc ? Tu bois trop, ma vieille, tu hallucines.

Dans la baignoire, en face, on ne se soûle pas. On boit le champagne dans la même flûte, on déguste, on savoure. Une gorgée pour moi, viens boire dans ma bouche, une gorgée pour toi, je bois dans la tienne. Une comptine de gamins que les vieux se fredonnent. Ils rient. Ils ont vingt ans. De temps en temps, de la Salle rajoute de l'eau chaude bien qu'il ne fasse pas loin de trente degrés dans la salle de bains. Ils sont bien. Ils discutent, ils se caressent, ils parlent sérieusement ou disent n'importe quoi.

— Tu as allumé le four, pour la quiche? s'inquiète tout à coup Isabelle en se redressant, ses petits seins vite empoignés par le vieux receveur des Postes qui répond :

— Laisse, on a le temps, j'ai trouvé un plat surgelé super.

— C'est quoi?

— C'est une surprise.

— Dis-moi.

— Quand tu m'auras donné à boire.

Et ainsi de suite et ainsi de suite.

16

Tiens, et si on parlait du petit de la Salle. Étienne. Il vient de rentrer d'une longue balade philosophique sous la neige. C'est comme cela qu'il les appelle, ses promenades pendant lesquelles il réfléchit à son roman. Philosophiques. Oui, c'est ce qu'il dit.

Et puis on a frappé.

Étonné quand il a ouvert la porte sur une Aurélie en fureur et entrant chez lui en gueulant : « Mon père, c'est un sale con ! »

Bon. D'accord. Très bien. Probable.

Il était en train de se faire cuire du riz parce qu'il se veut zen. Et, pour être zen, il faut manger du riz, ne peuvent comprendre que les gens cultivés. Mais, pour être vraiment zen, il devrait être assis par terre et faire des tas de rituels, moulin à prières, psalmodies et compagnie. On va au plus simple quand on vit dans un grenier. Du riz blanc. C'est excellent pour l'inspiration.

Donc un œil sur Aurélie qui tourne autour de la table et qui gesticule en fumant une cigarette, et un autre sur le couvercle de la casserole qui ondule doucement sous le bouillonnement du gaz. Et puis un petit regard en passant sur son ordinateur portable aplati sur une étagère et recouvert d'une chemise cartonnée. Mince, la chemise. Comme l'inspiration. Justement, ce soir, il avait l'intention de se remettre à son texte. Après le riz.

— Arrête de tourner comme un ours en cage, il dit.

— Je suis vénère, tu peux pas savoir. Mon père vient de me traiter de pute. Moi, de pute ! Il était rond, mais pute, il l'a dit.

— C'était pas malin de sa part.

— C'est tout ce que tu trouves à dire ?

— Tu veux que je dise quoi ?

— Je sais pas. Tu as quelque chose à fumer ?

— Tu n'es pas déjà en train de fumer ?

— Si, mais autre chose.

— Un fond d'herbe. Tu as des feuilles ?

— J'ai tout ce qu'il faut. Éteins ce putain de gaz.

— C'est du riz.

— Je le vois que c'est du riz. On mangera après.

Ils fument. Étienne a éteint le plafonnier et allumé sa lampe qui tue. Un lampadaire des années 50 raccourci et bricolé avec un petit ventilateur dessous qui fait vibrer le voilage. L'abat-jour est recouvert d'un tissu afghan noir et safran acheté chez Ikea durant la semaine exotique. Aussitôt des ombres se glissent dans la chambre, envahissent sol, murs et plafond, c'en est presque pénible, ça tourbillonne, ça enfle, ça se déforme. Ça donne le tournis, mais, en général, les filles ne résistent pas. Sinon, elles vomissent.

Mon mari partira en Suède tôt demain matin, elle lui avait dit, et les enfants seront chez ma belle-sœur. L'affaire se présentait bien. Le Double Basic est fermé lundi et mardi soir, c'est pour la famille, dit Saïd avec son sourire qui dévoile son incisive aurifiée.

En général, Joss et son mari passent une soirée ou deux par mois dans cette boîte. On se demande ce qu'ils viennent y faire. Le mari ne bouge pas de son fauteuil, siffle sa bouteille pendant que sa femme se trémousse sur de la musique merdique. En partant, le mari laisse toujours la note à cent cinquante, grand seigneur, gros seigneur, le prix de la bouteille en kilos. Énorme, le mari, ce qui explique que Joss aime frotter sa peau à des peaux moins grasses et plus légères. Elle est passionnée de gymnastique, Joss, mais son mari pèse trop. Il l'écrase pendant les exercices et ça lui coupe tout. Surtout la respiration. On peut en mourir si ça dure. Heureusement qu'il est rapide. Elle soupire vite fait, un Ahhh qui contente tout le monde et bonsoir, chéri.

Avec Marco et son sourire de rital, elle n'a pas été longue à se dire pourquoi pas. Marco n'est pas très grand, c'est là son seul point faible, mais il sait parler aux femmes. Un baratineur de première, un type à vendre de la laine à un mouton. Et il la fait rire. Le flirt dans la rue pendant que le mari discutait avec Saïd avait eu un parfum d'urgence et de plaisir extrême. Elle se demande comment cela se passera lorsqu'ils seront en pleine sécurité. Certainement de manière moins intense. De toute façon, il faut essayer.

Marco n'imagine rien, mais il veut tout de même confirmation pour le rendez-vous de ce soir. Joss sera une encoche de plus dans son tableau de chasse. Une belle encoche, mais pas plus. Marco est du genre collectionneur.

Il fait le numéro.

— Oui ! fait une voix qui vient de courir.

— Joss ?

— Oui.

— C'est Marco.

— Ah oui. Bonsoir, monsieur.

Bonsoir, monsieur, elle se fout de moi.

— Je viens chez toi à 19 heures, c'est toujours d'accord ?

— Au sujet du devis, parfaitement. Nous n'y avons pas encore vraiment réfléchi, mon mari et moi.

Insistant sur le mot mari. On dirait du Feydeau.

— Ton mari ?

— Effectivement, répond Joss en souriant.

— Il n'est pas parti ?

— Oh si.

— Il est revenu ?

— Oui.

— Il est là, à côté de toi ?

— Parfaitement.

— C'est râpé pour ce soir, alors.

— Je le crains.

— Bon, alors ciao, *amore mio*. Un autre jour.

— C'est cela. Bonsoir, monsieur.

Et l'on raccroche.

Joss se retourne. Elle lance un regard noir à son époux allongé sur le canapé. Sa jambe plâtrée fait tache sur le cuir. L'affaire d'une fraction de seconde, rater une marche de l'escalator et se fracturer je ne sais quel petit os minable du pied. Pile le jour qu'il fallait.

Marco a les boules. Il est 18 h 30 passées. Ça lui laisse peu de temps pour organiser une soirée de remplacement. Il passe quelques coups de fil, on lui répond vaguement la neige, le froid, tout ça, on est lundi, plutôt un autre jour, y a un bon film sur TF1 avec Bruce Willis, super, Bruce Willis, mais je l'ai déjà vu. Eh bien, moi pas. Te fâche pas. On s'appelle.

Et Ben qui avait besoin de sa voiture. Il va jusqu'à la fenêtre, regarde la neige. Il ne lui avait rien promis, mais là, avec ce qui tombe, pas question qu'il sorte de chez lui. Associés ou pas. *Nella mia stanza*, chante Negramaro dans la chaîne. Ils sont bons, ces ritals, le meilleur groupe d'Italie. Quand je pense que le DJ du Basic refuse de les passer. Il faut le virer, je suis sûr qu'on perd des clients à cause de lui. Il va monter le son, les voix explosent dans l'appartement.

Il faut rappeler Ben par politesse. Sa décision n'est pas généreuse mais elle est sage. Elle lui sauve peut-être la vie.

Au quatrième, Rumi continue de déambuler et de regarder Dora. Il fume, il balance ses mégots n'importe où.

Physiquement, Ben se sent toujours en vrac, mais il s'est calmé. Ses idées de sacrifice ultime se sont un peu effacées, mais il a toujours en tête qu'il est sur le point de tout perdre. À quoi ça tient, la vie ? Un moment tu nages, tu es le roi, une minute plus tard, t'es à sec et tu racles la vase.

Il se prépare maintenant à intervenir, mais il ne veut le faire qu'à coup sûr. Il sait que Rumi est un salopard capable de vilaines choses si l'occasion se présente. Et visiblement l'occasion va se présenter, il n'y a qu'à suivre le mouvement de ses yeux. Tableau, Dora, tapis, Dora, table basse, Dora, commode, Dora et... il recommence, des petites bulles de salive aux lèvres.

Ben se sent coupable, nul, con, d'avoir forcé Dora à le suivre dans cette idée folle. Parce que c'était une idée de dingue, capable de lui trouer l'estomac s'il ne se projetait pas vers l'avant comme s'il avait perdu le sens du passé. Quoi qu'il arrive maintenant, ce sera sa responsabilité. Et ce genre de réflexion, c'est nouveau pour lui. Il évite de trop y penser tandis que les yeux de Rumi font toujours l'aller-retour Dora, tapis, Dora, tableau... mais il y pense. Il se connaît. Il sait qu'à la première remarque il va exploser. Il sait aussi qu'il n'est pas dans les bonnes conditions pour. Il ne veut pas passer pour une brute devant elle, il veut la protéger en lui donnant l'image d'un type responsable, adulte, stable, maîtrisé. Alors il essaie de se calmer, il se dit qu'à froid il est plus costaud que Rumi, qu'il a plus de motivation, il se dit tellement de choses qu'il en prend le tournis.

Il a repéré le couteau dans la poche de Rumi. Déjà ce matin... Il s'en est tiré facilement. Maintenant, il a peur. De lui-même. Du couteau aussi. C'est cela qui a changé. Avant, cela ne lui aurait fait ni chaud ni froid. Mais, en quelques heures, tout a basculé. Hier, il était chez les Marthelin, tout allait s'arranger. «Tu vas pouvoir tout refaire à neuf, et gratos, disait le cheminot. De quoi tu te plains?» Ben rigolait même de son malheur. Depuis, tout va de travers, le sol s'effondre juste après qu'il a mis le pied dessus. Le seul repère stable, c'est Dora. C'est elle qui le maintient. C'est pour elle, pour la garder, pour en être digne... Et voilà qu'elle parle d'abandonner le navire. Je te l'avais bien dit, tu n'avais aucune chance, garçon.

C'est comme cela qu'il voit les choses, Ben. Toujours rapide, à la limite de l'instinct et du passage à l'acte. Alors on décide. Brutalement. On décide de faire une connerie comme on décide d'arrêter d'en faire. Et arrêter les conneries, ça veut dire tout arrêter, la picole, les combines, la bagarre, tout. Même si c'est perdu d'avance, il se dit en serrant les doigts. C'est pour cela qu'il a la trouille.

Dora vient d'enlever sa parka.

Aussitôt Rumi s'est arrêté de marcher. Il la fixe, il fixe surtout les maigres protubérances de ses seins qui déforment à peine le pull. Ça l'excite encore plus, le Rumi, l'amateur de gonzesses sur Internet. Une porcelaine? Une pute, oui.

Ben serre les poings. Dora rougit et remet sa parka, essaie d'échapper à ce regard de goret.

Francine est toujours assise. Elle prend la boîte de chocolat. Elle la tourne entre ses doigts, elle ne sait pas quoi en faire. Elle a oublié le lait. Elle la repose sur la table. Le chocolat, ce sera pour une autre fois. Elle regarde les tasses. Ils ont bu leur thé, c'est déjà ça. Elle réalise qu'elle ne leur a même pas offert de biscuits.

Elle est passée par tous les sentiments. Son âge sert heureusement d'amortisseur, absorbe joies et peines et ne lui laisse vivre que le supportable. Francine est toujours inquiète, mais elle ne se le formule pas. Quelques pensées vont et viennent dans sa tête, un mélange de souvenirs, de films, elle qui regarde beaucoup la télévision. L'angoisse est en train de se cristalliser au fond d'elle. Quelque chose de lourd et de douloureux qui l'envahit lentement. Et cet homme, et cette histoire de Loto qui revient juste maintenant, cela n'a aucun sens. Je ne joue jamais. Ou une seule fois, peut-être. Mais c'est là, c'est bel et bien là. J'ai joué, j'en suis certaine. Une seule fois, mais j'ai joué. Et le billet a disparu. Et si elle a gagné ? Si elle a joué ? Mon Dieu, aidez-moi, murmure-t-elle.

C'est comme pour la cuisine. Francine a bien vu que la jeune fille s'était trompée de direction et était allée faire un tour du côté des chambres. Peut-être était-elle entrée dans la sienne, peut-être avait-elle fouillé ici et là, elle n'était pas restée assez longtemps pour découvrir tous ses secrets. Enfin, rien n'est moins sûr. Oui, quelque chose de lourd et de douloureux. Les secrets sont toujours lourds et douloureux. Ou alors ce ne sont pas des secrets. Oscar aurait pu dire cette sorte de phrase. À l'époque, on ne jouait pas au Loto, mais ça ne veut rien dire. C'était la Loterie nationale.

Le téléphone sonne.

Francine se précipite et décroche. Elle dit bonjour, monsieur.

Une fille, sa mère, une vieille femme ? À la voix, Marco ne fait pas la différence, il n'a pas d'oreille et la voix, il s'en fout. Ce qu'il aime mesurer au coup d'œil, c'est la taille des seins. Le reste n'a aucune importance. Il explique rapidement, il est pressé. Elle dit oui oui. Il raccroche.

Francine se tourne vers Benjamin.

— C'était un monsieur. Il dit que pour la voiture, c'est impossible.

— Merde, fait Ben.

— Quelle voiture ? demande Rumi.

— Une voiture.

Avec tout ça, Francine a envie d'aller aux toilettes. À son âge, quand on ressent l'envie, il ne s'agit pas de traîner en chemin. Elle se lève lentement et se dirige vers le couloir à petits pas. Et puis il faut qu'elle vérifie.

On ne dit rien, personne ne bouge, la scène reste figée sur pause. Même Rumi est immobile. Dès que Francine a disparu, il s'anime.

— C'est qui, la vieille ? il demande.

— Une femme que nous avons rencontrée, dit Dora.

— Plutôt une solution de repli pour moi, corrige Ben.

— Toujours tes phrases à la con. Tu peux pas parler normalement ? C'est quoi, cette histoire de repli ?

— Je t'ai parlé de la rue Dumenge, de mon immeuble.

— D'ac. Compris. Le repli.

— Une solution comme une autre.

— Tu aurais pu squatter chez moi, si...

— Si quoi ? Si tu ne m'avais pas soûlé avec tes histoires de fric ?

— Et c'est qu'un début, mon pote, on va pas en rester là.

— Je m'en fous.

Ben ne veut pas rentrer dans les détails devant Dora.

— On réglera ça tous les deux, si tu veux bien, dit-il.

— Avec Marco aussi. Je l'ai appelé, glisse Rumi en allumant une nouvelle cigarette.

Il a appelé Marco, le salaud. Ils ont fait une alliance sur son dos ? C'est pour ça qu'il ne veut pas me prêter sa bagnole ? Bien joué, les gars.

Rumi s'est approché de la table et du cendrier. De près, il pue. La vieille bière, le tabac, la sueur, les pieds. Rumi, cœur solitaire pour cause d'hygiène, entre autres, c'est un pauvre type, pense Ben, c'est tout.

Il aurait mieux fait de se mordre la langue au lieu de penser un truc pareil.

Rumi s'est enhardi. Il vient de s'asseoir sur la table, jambes écartées entourant celles de Dora qui essaie de faire disparaître les siennes sous elle.

Dora s'attendait à ça. Elle le savait, elle l'a toujours su. Elle aurait dû foutre le camp tout de suite. Dès qu'elle l'a vu entrer, elle a compris que ce type allait leur pourrir la vie. Que ce soit un ami de Ben n'arrange pas les choses, elle ne sait pas comment il va réagir. Elle le suppose chevaleresque (on donne tout à son chevalier, tu te rappelles ta promesse de ce matin ?), chevaleresque et fiable, pour l'instant, son attitude n'est pas claire.

17

Marie-Cécile Boussac a pris sa décision. J'y vais. Je monte. Oui. Étienne. Le mec de la sonnette, autant l'oublier. Il n'a jamais existé, c'est comme le type en blanc, je deviens folle. *Delirium tremens*, ma vieille, rien d'autre. Bon. Elle va se laver les dents, le gin, ça reste des jours et des jours dans la bouche, et enfiler des trucs en soie qu'elle a achetés lors d'une vente à domicile. Soutif Wonder spécial pommes, string et porte-jarretelles rouge vif, ça fait bander tous les mecs, avait dit la vendeuse en riant, le tout pour cinquante euros, il n'y avait rien à dire. Une autre, pourtant mignonne et bien arrangée, avait dit : «Moi, je prendrais bien le modèle à mille euros. Pour faire bander le mien, il me faut la totale et quelques boîtes de Viagra ! Tu me fais un prix ?» Elles avaient toutes ri. Ces sous-vêtements érotiques, Maricé ne les a jamais portés, son mari ne la regarde pas. Ce soir, c'est l'occasion. Et le petit Étienne va passer à la casserole, ça le changera des *Playboy*. Elle décide d'arrêter le gin pour aujourd'hui, ça tombe bien, la bouteille est vide.

Dans la salle de bains du postier, on ne joue plus à s'éclabousser. On est en pleine action, à quoi bon décrire une intimité qui ne nous regarde pas. Ça râle de tous les côtés, eau et sueur se mêlent sur les fronts, des odeurs d'aisselles réapparaissent comme s'il s'agissait d'attiser la flamme. De la Salle a les yeux ouverts, il sourit, il profite de tout au maximum.

Isabelle Vital a fermé les siens.

Un peu de salive perle à sa lèvre, le vieux receveur se penche, langue en avant pour laper ce petit filet et bien le déguster, laissons-les tranquilles, ça ne va pas durer.

Sigmund Freud n'a jamais supporté la violence. C'est un homme courageux, mais l'affrontement physique lui a toujours été insupportable. La parole a été justement inventée pour que l'on se dispense des actes et éventuellement des coups. Pour négocier. Quand on n'est pas d'accord, on n'est pas obligé de se tuer tout de suite. Il a tenu jusqu'au bout, il a fallu l'Anschluss pour le décider à quitter son pays. Et avec combien de larmes ! Il est mort un an après, heureusement sans avoir assisté aux carnages et au déchaînement des pulsions les plus bestiales de ses contemporains. L'homme est mauvais, se dit-il. La femme, non, elle parle.

Inquiet, il a suivi le clown aux cheveux frisés et il est remonté. Figé près de la porte de Mme Kennedy, il attend, impuissant. Le climat d'agressivité est monté d'un cran entre les deux jeunes gens, il les voit comme si la porte était grande ouverte. Un peu plus loin, la jeune Dora essaie de disparaître, elle se sent responsable de tout. Pauvre petite. Mais Freud guette ce qui se passe un étage plus bas, il y a un silence qui l'inquiète beaucoup plus.

Rumi a fait un pas de plus dans l'audace. Il a posé une main sur le genou de Dora.

Francine est de retour à cet instant-là.

— Madame, lui dit Ben en se levant brusquement, ce serait bien d'aller un moment dans la cuisine, nous avons à parler avec mon ami.

Francine hoche la tête et ressort, levant bien haut les pieds au-dessus du tapis. Elle est allée dans sa chambre, elle a vérifié, jusque-là, tout va bien. Elle se le marmonne dans le menton. Mais elle pense toujours à ce ticket de Loto, elle est de plus en plus persuadée d'avoir joué. Et probablement gagné. À quoi cela sert de jouer si l'on ne gagne pas ? J'ai dû le ranger avec mes recettes de cuisine. Parce que là-bas il n'y était pas. Et, à part les recettes, je ne vois pas où...

Ben s'est redressé. En imposer par son calme.

— Enlève ta main.

Rumi renifle, bruit dégueulasse.

— On fait le jaloux, maintenant, on ne partage plus avec son meilleur pote? Finalement, tu n'aimes pas partager, ça se confirme. C'est bien ce que Marco m'a dit.

— Je m'en fous. Enlève ta main.

— Et si ça lui plaît, à cette petite?

— Ça ne lui plaît pas.

— Tu es bien sûr de toi, Trep.

Dora essaie de se lever. Rumi la maintient dans le fauteuil. Il sourit un peu bêtement, mais, à travers ce sourire un peu forcé, on sent une volonté malsaine. Maintenant qu'il a commencé, il ira jusqu'au bout, il en est ainsi des faibles qui ont franchi leur limite. Toute sortie est définitive. Ben le sent, c'est le moment, il doit faire quelque chose.

Il s'avance.

Au même moment Rumi saisit le cendrier et le balance comme un Frisbee. Mégots et cendres volent au-dessus de la table et le cristal vient percuter le front de Ben. Le cendrier rebondit et explose ensuite sur la table au milieu des tasses de thé qui giclent de partout. Feu d'artifice. Ben suit le mouvement et s'écroule à son tour.

Dora a hurlé.

Marie-Cécile Boussac est prête. Elle a un peu chargé le maquillage mais elle ne s'en rend pas compte. Elle hésite sur les chaussures. Mocassins ou escarpins. Elle essaie les escarpins noirs. Les talons sont un peu trop hauts. Elle trébuche et se rattrape au mur. Finalement, elle enfile ses chaussures de golf. Elle se trouve chic et confortable. Elle arpente le parquet de la chambre, au diable les petites pointes qui laissent des marques.

Elle tente un *drive* magique devant le miroir du couloir, mais elle manque se flanquer par terre. Elle éclate de rire. Elle tend l'oreille, son mari ronfle comme un gros porteur en début de piste. L'apnée, ce sera pour plus tard. L'aviateur va enchaîner sur sa nuit, comme il est parti. Continue, mon chéri, mange, picole. Aurélie ne va pas tarder. Elle a dû aller passer sa colère chez une de ses copines. Elle se débrouillera pour manger ce qu'il y a dans le frigo. J'en ai assez de faire la bonniche. Bon, moi, je monte. Où sont mes clés ?

Le quatrième semble animé. Marie-Cécile s'arrête et se penche contre la double porte. Elle entend des gens parler. C'est rare, Mme Kennedy ne reçoit pas souvent. Elle écoute mais n'arrive pas à comprendre ce qui se dit. La vieille a bien le droit de s'amuser un peu, après tout.

Mais cette vague silhouette blanche, immobile et floue dans son brouillard alcoolisé au gin tonic, qui est-ce donc ? Elle est passée devant sans vraiment la voir, la tête dans ses pensées. Il s'agit certainement de la plante verte qu'elle connaît, bien qu'elle ne l'ait jamais vraiment saluée. Mais salue-t-on une plante verte ? Non, bien sûr que non. Elle l'a déjà vu, pourtant ? En arrivant des courses. Sur la banquette du troisième. Pas la plante verte. Un type en costume blanc. En plein hiver ? Tu rêves.

Marie-Cécile préfère ne pas se retourner et se concentrer sur ses pieds qui vont attaquer l'escalier montant au grenier. Dans le doute, elle fait un vague geste de la main derrière elle. *Bye*, matelot.

Freud a été aussi surpris qu'elle. Il est resté immobile avant de lui rendre son salut, cette fois, il s'agissait bien d'un salut. Mais il hésite. Monter avec elle ? Ou rester encore un peu pour être bien certain que Dora ne risque rien. Mort, il était tout de même plus tranquille.

Les chaussures de golf, pour marcher, ce n'est pas très pratique sur le dur. J'aurais mieux fait de mettre des mocassins. Sport. Sweat et jeans. Et le porte-jarretelles, tu en aurais fait quoi ? Allez, monte, tais-toi un peu, tu me fatigues.

Sur la porte de l'écrivain, une carte de visite tarabiscotée, anglaise pour le nom, scripte pour l'adresse, italique pour «Conseiller marketing». On sent tout de suite la classe. Vendeur de bouffe pour chiens, en fait.

Mme Boussac frappe.

Étienne a éteint le gaz, le riz est cuit, et il a posé la casserole sur la table. Le décor lumineux fonctionne à merveille. Ils en sont à leur deuxième joint.

Aurélie est dépoitraillée jusqu'aux genoux et Étienne a carrément ôté son pantalon. L'effet de l'herbe est parfait, lent, progressif, ça et les ombres noires mouvantes de partout, il est au top. Étienne sourit aux anges tout en triturant Aurélie qui se laisse faire en râlant de plaisir. Il s'est écorché deux ou trois fois à une espèce de clou qu'elle porte en travers du nombril, un truc à prendre le tétanos.

Et puis il y a eu le bruit à la porte et une voix a crié : « Y a quelqu'un ? »

Étienne de la Salle rigole et crie : « Entrez, entrez, faites comme chez vous » en se renversant en arrière sur le matelas, le sexe droit comme un I mais un peu tordu, et Aurélie, qui est la plus proche, se traîne vers la porte qu'elle ouvre, le treillis aux chevilles. Étienne sourit à ses fesses.

Si Marie-Cécile Boussac était un peu pompette, son ivresse disparaît en quelques secondes.

— Nom de Dieu ! elle fait.

Réaction simple.

Puis elle entre dans la pièce. Étienne ne la voit pas s'approcher, attraper Aurélie par un bras et la redresser d'une paire de claques, l'envoyant valdinguer contre la table. La casserole s'envole et le riz explose dans les airs.

Tout devient moins zen.

— Maman, bafouille Aurélie.

— Petite garce ! hurle la mère en cognant encore le crâne rasé.

— Bonsoir, madame Baboulard, dit Étienne en tentant de se redresser, le visage fendu banane.

— Moi, c'est Boussac.

Elle se tourne vers sa fille.

— Rhabille-toi et rentre immédiatement à la maison. Immédiatement. Je te préviens, tous tes trucs de punk, ça va voler. Beaucoup de choses vont changer. Ton père est en bas. Il dort sur le canapé. Si j'ai un conseil à te donner, évite de le réveiller.

— Mais, maman..., murmure Aurélie.

— Il n'y a pas de mais. Tu t'habilles et tu descends. Je te rejoins dans cinq minutes.

Aurélie se met à pleurer. Sa mère l'aide à accrocher son soutien-gorge Naf Naf et lui remonte string et pantalon.

— Essuie-toi les yeux et file.

Dora a vu le cendrier partir et arriver sur le front de Ben. Elle a eu mal pour lui. Pile au milieu du front. Du sang a immédiatement giclé, le crâne, ça saigne toujours beaucoup, dit la rumeur publique. Elle a raison, la rumeur publique, le visage de son homme est rouge en quelques secondes.

Rumi relâche la pression sur ses cuisses et s'éloigne d'elle. Il paraît incrédule tandis qu'il fixe Ben écroulé sur la table, le nez sur la boîte de chocolat. Ça bouge pas, c'est plié. C'est moi qui ai fait ça ? Trop fort, le mec. Il se lève lentement, chacun de ses mouvements semble décomposé. Il se déplie, il s'approche de Ben en souriant légèrement. Du pied il essaie de le retourner comme on le fait d'une bête abattue. Sans doute rassuré, il se penche et lui secoue l'épaule.

Il n'aurait pas dû. Ben se redresse d'un bond, Dora fait Oh, et il balance un coup de boule dans le ventre de son copain. Rumi s'éclate en arrière comme Materazzi et va s'affaler au pied du vison de la grand-mère, le cuir plein de sang.

— Appelle quelqu'un, vite ! Pas les flics, surtout ! crie Ben à Dora en s'essuyant de la manche.

— Qui ?

— Je ne sais pas. N'importe qui, mais pas les flics.

— Pourquoi, pas les flics ? demande Dora.

— Parce que. Appelle, appelle. Vite !

Rumi se relève comme il peut, il a du mal à respirer. Sans son matelas de graisse, il aurait eu son compte, le plexus, nexus, sexus, et toute la clique qu'il n'a hélas jamais lue.

Dora passe derrière le fauteuil, recule sur la pointe des pieds. Elle sort du champ de vision de Ruminator I – le premier épisode est toujours le meilleur – et recule lentement dans un coin de la pièce, près de la fenêtre. Elle sort son portable mais le cache immédiatement, Rumi vient de se tourner vers elle.

— Qu'est-ce qu'elle fout, la pétasse ?

Dora ne répond pas. Elle voudrait sourire, paraître forte, mais elle ne peut pas. Elle se met à pleurer, s'essuie rapidement les yeux, lève la tête.

— Viens par ici, gros naze, que je t'apprenne deux ou trois choses, dit Ben, les pieds bien campés sur le tapis. C'est le moment de vérité.

Rumi est obligé de répondre en sortant le couteau. C'est la chose à faire au point où ils en sont. Bagarre à mort, il n'a pas le choix. Il lui vient dans la tête une scène de film, il ne sait plus qui jouait mais il y avait la même tension, le héros non violent était obligé de s'y coller, de prendre une barre de fer et de défendre sa peau. Il avait tué un mec vingt ans auparavant, c'était un accident, on le saura à la fin, genre clair de lune, remords et regard désespéré de la fille, elle comprendra enfin tout, son mec n'est pas le lâche comme tout le monde le croyait et elle l'aimera encore plus pendant qu'une nappe de violons envahira la bande son. Lent travelling arrière... Puis, pour garder la pression, d'autres histoires de flics passent dans sa tête, des navets rebattus sans la surprise qui ferait pour une fois mourir le gentil héros ou le faire marcher dans une merde de chien.

Le couteau deux fois dans la même journée, Ben pense que c'est trop.

Il recule et file dans l'entrée. Rumi le suit, la lame pointée devant lui.

Alors, les yeux pleins de larmes, Dora sélectionne vite le numéro de son père.

Un coup d'œil à sa montre, il est presque 19 heures. Jan Lubba travaille à son cabinet et il est interdit de téléphoner, c'est la règle.

— Papa, c'est moi.

— Je sais. Rappelle dans cinq minutes, s'il te plaît.

— Mais...

Et il raccroche.

Dora éclate en sanglots. Devant la porte d'entrée, les deux garçons sont face à face. Ils s'insultent, ils se toisent. Deux coqs qui se défient du menton, bien que les coqs n'aient pas de menton. Pas tous.

Elle refait le numéro.

— C'est grave. C'est super grave, il faut que tu viennes...

— Qu'est-ce que tu dis ? Parle lentement.

— C'est grave. Ils vont se tuer. Et moi avec. Et aussi la grand-mère...

— Quelle grand-mère ? Noune ?

— Non. Une grand-mère qu'on a rencontrée place Ampère. On est chez elle.

— Qu'est-ce que tu racontes. Tu as pris quelque chose, des cachets, tu as fumé du cannabis ?

— Non, non elle hurle. Ils vont se battre, il a un couteau.

— Qui a un couteau ?

— Je ne sais pas.

— Tu ne sais pas. Je ne comprends rien ! Tu es où ?

— Rue d'Auvergne. Au numéro 7.

— J'arrive.

— C'est au quatrième.

Jan Lubba est abasourdi. Il se serait attendu à des problèmes avec Hans, le commissariat, par exemple, genre votre fils vient de faire un hold-up, mais venant de sa fille, c'est impossible. À moins qu'elle... Il congédie son patient avec le maximum de diplomatie, mais ce dernier ne semble pas enchanté de se faire virer en pleine interprétation. Il met dix minutes à payer, à traînasser pour enfiler son manteau, à bien faire le nœud de son écharpe, mesurer les deux extrémités, tout ça. Lubba le presse.

Enfin la porte claque et Lubba attrape son anorak, éteint les lumières. Le temps de remonter la fermeture Éclair et il est dehors, dérapant sur la couche de neige. Il glisse, se rétablit sur l'aile d'une voiture. Il essaie de courir, il est paniqué.

Qu'est-ce que c'est que cette histoire de grand-mère ?

18

Francine est assise à sa place à la table de la cuisine. Ses deux mains sagement posées sur la toile cirée. D'un côté, elle est soulagée, rien n'a bougé, là-bas. Mais elle ne sait plus ce qu'elle est censée faire maintenant. Elle doit chercher quelque chose. Quelque chose qui a à voir avec un gâteau ? Je deviens folle ou quoi ? Pour se changer les idées, elle allume la radio. C'est le bouton rouge de la télécommande, tout en haut. Elle entend un homme parler d'un prochain concert à Paris, mais cela ne l'intéresse pas. Francine n'aime pas vraiment la musique classique, elle ne sait surtout pas régler son poste. Elle a perdu le petit livret donné avec, elle a dû le jeter avec le carton. Elle lance un regard venimeux à l'appareil qui lui a coûté une petite fortune, c'est une marque prestigieuse, il lit aussi les disques si on passe la main devant, et si on en a. Francine n'en a pas, à part le CD de démonstration qu'elle a écouté dix fois. La musique, ce n'est pas trop son affaire.

En fait, elle se moque de tout ça, elle aimerait simplement changer de station. Elle a voulu retourner dans le magasin où elle l'a acheté. Ils ont déménagé. Où sont-ils maintenant ? Elle a essayé toute seule, elle n'est arrivée à rien. Dès qu'elle appuie sur une touche, l'appareil lui pose une question, c'est écrit dans une langue nordique et elle ne sait pas les langues nordiques, il y a des petits ronds sur les lettres. Alors elle répond en appuyant au hasard. Et puis c'est écrit petit. Il faudrait que je leur demande, à ces jeunes, ils doivent connaître. Mais est-ce bien prudent de leur parler ? Une de ses amies plus technique qu'elle a réussi à lui installer France Musique qu'elle écoute toute la journée parce que son fils y travaille. C'est bien, mais pas très marrant. Avant, Francine suivait *Les Grosses Têtes* et *Le Jeu des 1000 euros* dans son transistor. Francine regrette de ne plus pouvoir les écouter. Maintenant, c'est une *master class* de hautbois, des causeries sur la tristesse de Schumann ou des chants bulgares authentiques, des tas de concerts, bien sûr, mais certains difficiles, très difficiles, à vous saccager les oreilles. Impossible de changer. Un truc à devenir neurasthénique.

Elle se souvient quand elle allait au concert avec Oscar, le spectacle dans la salle suffisait à son plaisir, surtout la coupe de champagne à l'entracte servie par un maître d'hôtel à gants blancs. Le vrai monde, son monde. C'était à New York ou à Londres, Madrid, Munich, Paris, Genève. Partout. Et les voix magnifiques qu'ils ont entendues... Même si elle n'appréciait pas particulièrement l'opéra. Elle se souvient d'un soir d'été à Vérone, dans les arènes, c'était magnifique, elle avait des frissons sur tout le corps au milieu de la brise tiède, Oscar lui caressait délicatement l'intérieur du bras. Oh, Oscar... Cela fait si longtemps.

Tout à coup elle sursaute. Un fracas vient de retentir dans le salon, suivi d'un bruit de verre brisé. Elle se lève à moitié mais se rassied, il lui a dit d'attendre ici, il n'avait pas l'air de plaisanter. Ils sont en train de se battre ou quoi ?

À la radio, une voix accablée est en train de dire «... du compositeur que nous allons écouter ce soir, il s'agit effectivement de Pierre Boulez». Non, pas Pierre. Francine éteint la radio. Pas ce soir. Pas lui, pas Pierre. Oscar et lui se connaissaient bien. Amis, peut-être, elle ne se souvient plus. Si, elle se rappelle, Oscar feignait d'apprécier sa musique et Pierre feignait de le croire. C'était à Genève, non ? Ils étaient si jeunes.

Elle entend un bruit de course dans le hall. La porte du couloir est restée ouverte. Elle a envie d'aller voir ce qui se passe. Elle fait trois pas et s'adosse à la cloison. Les deux hommes parlent fort, ils s'insultent. Tant qu'ils se parlent, ils ne se battent pas, voilà ce qu'aurait dit Oscar. Un bel exemple de son bon sens. Une phrase bien sentie pour chaque situation.

La salle de bains est devenue hammam. Il est temps d'en sortir, bras dessus bras dessous. Vêtus du minimum, ils rejoignent la cuisine. Ernest se penche sur le four.

— Il est un peu lent à chauffer. Il est vieux, il est comme moi !

— Allez, Ernest, tu dis ça pour que je te dise le contraire.

— Pour le four, c'est vrai.

— Je te crois, alors.

Ils s'embrassent une fois encore. Ernest ouvre la fenêtre et se penche. Il ramène une grande boîte en carton couverte de neige sur laquelle sont peints, plus vrais que les vrais, deux énormes homards. Congelés et apprêtés Thermidor, c'est écrit en travers.

— Oh, Ernest, c'est super.

— Je te l'avais dit.

Ils échangent un sourire.

La chaîne du salon envoie de la romance italienne. Le coffret *Italissimo*. Ils sont bien, Ernest a eu le temps de tout prévoir. Il ouvre une deuxième bouteille. Isabelle danse sur place, souriante, les cheveux défaits et encore mouillés. Elle est mignonne. *Tornero*, chante plus loin une voix rauque. Le monde pourrait s'écrouler autour d'eux.

Au grenier Mme Boussac n'a plus envie de baiser, c'est sûr. Elle est scandalisée au point de hurler des mots comme «Mineure, police, plainte, drogue, avocat» et d'autres, moins significatifs. Puis elle se calme, elle trouve la vie injuste, dégueulasse. Elle est bouleversée d'avoir assisté aux activités sexuelles de sa fille. D'accord, Aurélie jure comme une charretière, elle fume un peu, elle s'habille mal, mais c'est sa fille, son bébé. Malgré son air affranchi, elle est encore innocente.

En claquant la porte, elle balbutie à travers ses larmes : «Espèce de minable.»

Aurélie est rentrée chez elle sur un coussin d'air. Aujourd'hui elle s'est envoyé au moins cinq cônes, priez pour nous, elle se sent bien. Elle embrasse le vide. Dans le couloir au-dessus de sa tête, elle entend un vague bruit de voix. Elle ne s'arrête pas pour écouter. Rien à foutre. Elle a du mal à marcher droit. Et, pour entrer la clé dans la serrure, ça lui prend deux bonnes minutes, sans compter le temps de s'asseoir et de se reposer sur le paillasson.

Son père est au salon. Il ronfle comme une turbine. Elle fait un détour et va se passer la tête sous l'eau froide. Dans la glace de la salle de bains, son visage est bouffi et moche. Son oreille a encore enflé. Sa mère lui a tapé dessus, elle a mal. Cette fois elle est obligée d'enlever cette saloperie. Pas si facile, le fermoir est un peu écrasé, elle se contorsionne, trouve un autre miroir pour bien voir l'opération, ça y est. Déjà rouillée, l'épingle de nourrice ? Normal, c'est de la ferraille. En or, ce serait mieux. Elle est déçue, elle se sent complètement découragée. Du coup elle va se coucher.

Francine est toujours dans la cuisine. Elle tourne en rond, qu'est-ce qu'elle devait chercher, déjà ? Elle ouvre le frigo. Il reste une tranche de jambon, celle prévue pour ce soir. Le reste, elle a oublié.

Puis elle se souvient, le ticket de Loto. Elle ouvre le placard aux biscuits. La boîte aux recettes de cuisine. Bien sûr. Elle a du mal à l'attraper, pourquoi je l'ai rangée si haut ? Des recettes, bien sûr. C'est vrai que je ne fais pas souvent la cuisine. Elle hésite à monter sur une chaise, le docteur Baldinet le lui a formellement interdit. Elle se met sur la pointe des pieds, étire les doigts. Elle baisse la tête pour mieux se grandir. La boîte glisse, doucement, doucement, puis un geste maladroit la fait basculer et elle s'éclate, rebondit sur le carrelage. Ça résonne, le couvercle trépigne plusieurs fois avant de s'immobilier.

Elle est immobile devant les papiers éparpillés quand elle entend des cris derrière elle. La dispute entre les deux hommes a envahi la cuisine. Elle se retourne. Ils sont là. Comme elle ne connaît par leurs noms, elle se dit le sale et le blessé. L'un des deux accroche une chaise. Le blessé. Le sale a un couteau à la main. Il passe dans son dos et la force à s'asseoir. Même pas sur sa chaise, elle se sent toute petite. Elle trébuche, mais des mains la maintiennent. Lui font mal.

— Qu'est-ce que c'est que ce bordel ? dit-il en shootant dans la boîte qu'il expédie en touche.

Les recettes qui restaient volent devant l'évier.

Francine ne répond rien. Son cœur tape. Elle essaie de voir si elle n'aperçoit pas son ticket de Loto. C'est allé trop vite, elle n'a pas eu le temps. Elle n'a rien vu. Ou le sale type a mis le pied dessus. Pour le cacher. Elle fixe sa chaussure de sport. La droite, hein, c'est ça, un bout de papier dépasse. Elle n'y voit pas bien, Francine Kennedy, de près comme de loin. Le docteur Baldinet lui a dit qu'au printemps il faudrait envisager une opération de la cataracte. Au moins l'œil droit. Elle préfère ne pas y penser, le mot cataracte lui fait un peu peur. Il fait vieux.

Rumi ramasse une recette de feuilles de vigne farcies. Il s'approche de la vieille femme.

— On voulait faire la cuisine, c'est ça ? dit-il sans attendre de réponse. Mais moi, j'ai pas faim. Soif, oui. Mais pas faim. Alors, c'est pas la peine. On va pas bouger. Quand je dis pas bouger, c'est pas bouger. Compris ?

Elle a peur. Elle regarde ailleurs. Le blessé. Son visage est peint par des traînées de sang. Du coup il lui vient de la sympathie pour lui.

— C'est quoi ? elle demande.

Ben répond :

— Le cendrier.

— Le gros ? Il est cassé ?

Ben hoche la tête.

— Pas bouger et pas parler, gueule Rumi.

Elle n'a pas eu le temps de bien le détailler quand il est arrivé. De près, le sale a plein de boutons.

Finalement Rumi la lâche. Il se met à marcher de long en large dans la cuisine.

Francine regarde le carrelage. La chaussure du méchant sale cachait simplement une recette. Porc au curry, paella, polenta ? C'est jaune. Elle aimait bien, dans le temps. Ou un gâteau.

Pendant ce temps, Rumi ouvre les portes, remue les tiroirs, farfouille, tripote. Il sort un énorme couteau de cuisine.

— Nom de Dieu ! Il est beau, celui-là !

Ben s'était avancé, poings serrés.

— Fous la paix à cette dame, elle ne t'a rien fait.

— Tu fais encore un pas et je commence par lui couper une oreille. Les oreilles des vieilles, il paraît que ça se coupe tout seul. Comme celles des bébés.

— Si tu la touches, je te casse en deux.

— Tu casses rien, Trep. Approche seulement.

Rumi rigole de sa blague. Tu casses rien... Puis il se rend compte qu'il a déjà un couteau à la main. Il balance celui qu'il vient de prendre, trop lourd, il préfère le sien dont il fait gicler la lame, la rentre, clic, la sort, clic... Attendant l'orgasme du surineur.

Il a une voix vulgaire, grasse et mal élevée, pense Francine. Un peu, comment dire, brouillasseuse. Voilà, brouillasseuse. Elle a peur. Pas de mourir, elle sait qu'elle est proche de la mort, elle est prête. Non, simplement elle ne veut pas souffrir. Elle a bien entendu la menace. Elle porte la main à son oreille et se caresse le lobe en essayant d'imaginer une opération de la cataracte.

Le sale continue de brasser tiroirs et placards. Il cherche quelque chose, certainement. Mais qu'est-ce qu'il espère trouver ? S'il me demandait, je pourrais lui dire si j'en ai ou pas. Mais non, il parle tout seul, il grommelle dans sa barbe.

— Vous cherchez quelque chose ? elle demande, alors qu'elle a seulement besoin qu'il lui dise où il a caché son ticket de Loto.

Il se retourne et lui balance une claque.

— Ferme-la, j'ai dit.

Ben a fait un nouveau pas en avant.

— Allez, viens, arrive, dit Rumi en ricanant.

Il mime le geste de couper l'oreille de Francine.

Ben reste où il est.

Francine porte la main à son visage. Sa joue est brûlante. Le sale se baisse, elle ne voit que ses cheveux coiffés en petites tresses.

Il a trouvé un bout de tissu par terre. Il le ramasse. C'est une espèce de châle dont elle recouvre d'habitude un fauteuil du petit salon dont la tapisserie est un peu élimée. Il ne devrait pas être là. Il passe derrière elle et lui entoure brutalement la tête avec. Elle étouffe, elle gémit, mais le tissu la serre. Elle se met à trembler. Son ventre gargouille, elle a peur de faire dans ses culottes parce que les émotions, ça la travaille toujours.

— Pas bouger. Pas parler. Rien.

Rumi recommence à remuer. Il jure. Puis il pousse un petit cri. Il a trouvé. Quoi ? Elle entend un glouglou. Il doit boire à la bouteille. Mais qu'est-ce qu'il boit ? Il n'y a rien à boire ici. Les alcools, c'est au salon dans le petit meuble.

— Les verres sont dans le placard à côté de l'évier, dit-elle pourtant.

— J'ai dit pas parler. Ferme-la.

— C'était pour vous rendre...

— Ta gueule.

Puis il ajoute curieusement, comme s'il n'avait pas de suite dans les idées :

— Il faut que je me tire d'ici. Les vieux, ça me déprime. Je laisse la porte ouverte. J'entends tout. Pas bouger, sinon ça cogne. Compris ?

Il se tourne vers Ben :

— On va se calmer, maintenant. Toi, tu viens avec moi. Avance et tiens-toi tranquille. Si tu veux ma peau, me rate pas. Moi, je te raterai pas. La vieille y passera, la merdeuse aussi. Tous. Ouais.

Francine hoche la tête dans l'opacité du linge qu'elle n'ose pas enlever. Elle tremble. Les pas s'éloignent. Elle souffle.

Dora les voit revenir. Elle est bouleversée et elle ne comprend rien à ce qui se passe, mais, au point où on en est, elle se dit qu'elle va finir par se faire violer. Ben a une attitude défaite, comme s'il était incapable de toute initiative, de toute volonté. Il a l'air encore plus atteint avec tout ce sang coagulé sur le visage. Il baisse la tête. Il n'aura pas la force de la protéger. Il a peut-être peur, lui aussi ? Non, pas Ben, impossible, elle répète ça dans sa tête comme un mantra, il est plus costaud que ça.

Glouglou refait la bouteille. Rumi sourit béatement. Il lui

manque une dent devant, plein cadre, deux à droite, le reste n'a pas l'air en très bon état. Genre pirate, il a deux siècles de retard. Dora essaie de se préparer comme elle peut, elle se dit que ça ne comptera pas, que ce sera une agression, un crime, mais qu'elle n'aura rien à se reprocher. Si elle est mignonne, ce n'est pas sa faute, et ce ne sont pas sa tenue ou son comportement qui ont excité ce singe.

Préparation, d'accord, mais il n'empêche que son corps est terrifié. Elle ne veut pas être nue devant ce type qui va la saloper, la pourrir. Elle y repense, une de ses copines de classe s'est fait agresser dans les douches d'un camping pendant les vacances. Elle lui a raconté. Dora se met à pleurer doucement. Elle voudrait que ce cauchemar s'arrête, que Ben relève la tête, l'embrasse et l'emporte loin d'ici. Mais Ben ne pourra rien faire.

— Tu pleures, l'allumeuse ? lance Rumi.

Dora ne répond pas. À quoi bon.

— Faut pas être triste ! Moi qui pensais qu'on allait se faire une petite fête, tous les deux.

Rumi rigole et regarde l'étiquette de la bouteille qu'il est en train de boire.

— Qu'est-ce que c'est que cette saloperie ? Vin de noix 1989. Je me disais bien. Il va falloir trouver autre chose, conclut-il en jetant la bouteille à travers la pièce, aspergeant ici et là satin, meubles, tableaux, tapis.

Il se tourne vers Ben.

— Tu sais pas où est la clé de la cave, des fois ? Elle a dit qu'elle avait une cave, la vieille. Pleine de grands vins.

— J'en sais rien.

— Personne sait rien dans ce bordel.

Il tourne sur lui-même. Un sourire de second couteau apparaît sur son visage, genre je suis plus malin que tout le monde. Il s'approche de Ben, la lame du cran d'arrêt étincelle.

— Trep, mission très importante. Tu te débrouilles pour trouver les clés, tu descends et tu me remontes quelques bonnes bouteilles. Choisis. Moi, je tiens compagnie à ta copine.

— Non.

— Si, tu y vas, mon petit Ben. Pense à l'oreille de mamie. Et puis à celle de mademoiselle, qui doit être encore plus tendre.

— Si tu touches à Dora, tu es mort.

— Dora ! Comme c'est mignon. Allez, vas-y au lieu de raconter ta vie.

Ben se sent totalement impuissant. Il sait que les menaces de Rumi pèsent leur poids. Il sue la haine. À force de se monter en mayonnaise, on sent qu'il veut y aller, qu'il est prêt à rendre tout le mal que les autres sont censés lui avoir fait. Ça tombe sur eux, ici. À cause d'une banale histoire de partage, ou de jalousie ? Comment réagir ? Pour l'instant, malgré son besoin de protéger Dora, Ben a peur de faire une bêtise. Alors il se tait. Profil bas, paralysé.

Il est allé demander les clés à Francine en s'excusant.

Le problème, c'est que Francine ne sait plus qui est quoi. Elle a perdu tous ses repères et elle a peur de prendre une autre gifle. Elle a aussi peur de faire pipi sur la chaise. Elle réfléchit comme elle peut. Être dans l'obscurité l'angoisse. Le ticket du Loto l'obsède de plus en plus. Une série de numéros s'est imposée à elle, il y en a six. Elle se les répète depuis un petit moment pour se calmer, mais cela ne sert à rien. Elle a toujours l'angoisse d'en oublier un, alors elle recommence et elle recommence. Elle sent son cœur s'affoler par moments. En fait, elle est complètement paniquée. Elle ne sait même pas si elle va pouvoir commander sa voix tellement c'est serré. Elle se gratte la gorge. Sa bouche est sèche, mon Dieu, aidez-moi.

Il lui a un peu défait le châle. C'est le blessé.

— Vous avez du sang sur le visage.

— Je sais. Il faut que j'aille à la cave. J'ai besoin des clés.

Sa tête s'agite.

— Je ne sais pas. Si. Non. Toutes les clés sont... heu... dans l'entrée, je crois. Près de la porte. Ou dans la commode. Dans un tiroir. Il y avait une étiquette. C'est lequel ? J'ai trop peur. Aidez-moi, s'il vous plaît.

Ben trouve les clés et descend l'escalier en courant.

19

Rumi a perdu les pédales. Il ne comprend pas tout. Le seul truc dont il ait conscience, c'est de ressentir des choses qu'il n'a jamais ressenties. Des choses. C'est vague, ça. Des émotions, des sentiments ? Il ne saurait pas dire. Des choses.

Essayons une autre piste. Il boit de la bière depuis ce matin. Combien de canettes, à vol d'oiseau ? Il avait acheté deux packs de 1664, des packs en promo. Douze. Plus ce qu'il y avait au frigo. Il ne se souvient plus. Plus ce qu'il a acheté à Casino. Qu'il soit ivre, c'est certain. Mais il était aussi ivre hier, et avant-hier, et encore les jours avant. Il faut remonter loin pour le trouver à jeun. Plusieurs mois. Rien de changé, alors. Le voilà rassuré.

Pas tant que ça. Il y a toujours ces choses à l'intérieur de lui qui lui paraissent étrangères. Et pas très agréables. Bizarres. Il fixe Dora. Putain qu'elle est mignonne ! Il a envie de profiter de l'absence de Ben et de la peloter un peu, mais un reste de sagesse l'en dissuade. Ben a de la ressource. Il est musclé et il a fait de la taule, lui. Il se dit plus tard, elle ne perd rien pour attendre.

À force de se triturer la cervelle, une lueur est apparue. Mais une sale lueur, une sale idée vient de lui traverser la tête.

Rumi aime la violence. Depuis toujours il suppose qu'il est violent. Il aime bien penser ça de lui, mais il suppose seulement parce qu'en fait il ne s'est jamais vraiment battu. Il se contente des DVD. Mais quand il a balancé le cendrier sur Ben, quand il a vu le sang couler, il a senti un frémissement dans son pantalon. Il ne bandait pas vraiment, mais ce n'était pas loin. Autant que s'il avait passé la main sur les seins de la merdeuse? Moins, quand même. Alors quoi?

Voici ce qu'il a réalisé : cogner lui a fait du bien. Il aime cogner. Il aime faire mal, voir le sang couler. C'est dit.

Mais tout ça le gêne un peu. Ce n'est pas normal. Il essaie de réfléchir comme il peut, avec ses mots à lui. Il sait que ce n'est pas très brillant. Traduit, voici ce que ça donnerait à peu près : foutre sur la gueule à un mec, c'est normal. Prendre son pied à cogner, c'est autre chose, bordel. Ça fait tout de suite naze. Presque dingue, non? Puis il se ressaisit. Je ne suis pas le seul dans ce cas, si? Tant que personne le sait, où est le problème? Ce n'est pas comme s'il avait envie de tuer les gens, là, ce serait grave, il ferait serial killer, comme dans les films! Non, taper quelqu'un qui vous cherche, il n'y a pas de mal. Et si j'y prends un peu mon pied, pardi, c'est le plaisir de se faire respecter, c'est ça et pas autre chose de tordu. Tordu, il ne l'est pas, Rumi. Il le saurait. Tiens, cogner sur la vieille, ça m'a fait quoi? Il essaie de se rappeler. Rien. Elle faisait chier, la coupe à débordé et paf la grand-mère. Et il n'a aucune envie de lui toucher les seins. C'est normal, ça aussi, non? Finalement il conclut que c'est le bordel dans sa tête, ce en quoi il a parfaitement raison. Mais il corrige : pas tant que ça.

Là, il se trompe.

Ben a trouvé la cave. Il actionne la minuterie. Simple, un escalier et un couloir tout droit sur lequel s'ouvrent plusieurs portes en planches. Vite. La clé ouvre celle du milieu.

Lumière du couloir. Du vin. Des dizaines et des dizaines de bouteilles couvertes de poussière au point que les étiquettes sont illisibles. Dans d'autres circonstances, il prendrait le temps de choisir. Il en attrape trois dans chaque main, se retourne et remonte sans respirer.

Ben pousse la porte de l'épaule, il se précipite, les bouteilles tintent.

Il a à peine fait attention à la jeune punk qui est passée à côté de lui en descendant du grenier dans un nuage de fumée.

Ben a laissé la porte ouverte. Freud le suit et pénètre dans l'appartement. Il s'écarte et reste près d'une aquarelle montrant le Mont-Saint-Michel. En dessous, sur la desserte, son chapeau est toujours là.

Dora est immobile devant la fenêtre, tétanisée, et les deux garçons se regardent comme des serre-livres. La grand-mère n'est plus là. Elle est allée où ? Il est inquiet, l'urgence, c'est ici. Il ne peut pas communiquer avec les vivants, impossible, et pourtant, dans ce climat de danger qui s'est emparé de l'appartement, il se sent de plus en plus tourmenté par le besoin de faire quelque chose.

C'était d'ailleurs cela, le moteur de sa vie : faire quelque chose pour les gens. Dès son plus jeune âge, il a eu besoin de réparer. Soigner, c'est réparer. On ne devient pas médecin par hasard, bienheureux les banquiers qui travaillent au son du dollar et qui ne se posent aucune question sur leurs motivations profondes. Oui, depuis toujours, et il sait pourquoi il a voulu soigner les hommes et les femmes. Tous les humains. Mission universelle. Mission grandiose, certes, on l'a souvent traité de mégalomane, on s'est moqué de son orgueil et de sa pseudo-arrogance. Parfois pire. Mais il est toujours passé à travers ces insultes, il a avancé en restant fidèle à lui-même et en sacrifiant une certaine forme de réussite. Il n'a jamais gagné beaucoup d'argent. Ses livres lui ont rapporté des droits d'auteur, mais surtout à la fin de sa vie. Riche, non.

Aujourd'hui, mort depuis longtemps, il n'a pas renoncé.

Francine a disparu. Il va voir dans la cuisine. Elle est bien là, mais des pleurs l'appellent soudain plus haut dans l'immeuble. Il les redoutait. Il file.

Premier regard pour Dora. Elle va bien. Elle lui sourit. Tout n'est peut-être pas perdu ?

Ben pose les bouteilles sur la table devant Rumi.

Rumi les inspecte. Il fait un peu la tête. Maintenant, il se considère presque comme un négociant en vins. Sans étiquette lisible, le pinard ne vaut pas tripette. Tout le monde le sait. Tu vas dans un restaurant étoilé, tu demandes un Prince Probus 95. Bien, monsieur, parfaitement, monsieur, votre choix est excellent, un des meilleurs millésimes, etc. Et le type t'apporte une bouteille dans son panier mais l'étiquette est moisie, réduite à trois lambeaux de papier. Tu arrives à peine à lire Cahors tout en bas. Deux cents euros quand même, alors tu dis : « Apportez-m'en une où c'est vraiment marqué, s'il vous plaît », parce que tu es poli. Mais je vous assure... Nous sommes une maison réputée, nos clients ont pour habitude de nous faire confiance. « Eh bien, moi pas. »

Et voilà comme on en perd une au guide de mes deux étoiles, mon général.

Rumi serait du genre à vouloir te faire valser les tiennes à coups de saton, mon gars, attention.

— Tire-bouchon ! il crie, plus pour le plaisir de faire peur que par colère.

Il reste un moment à fantasmer sur la richesse, il tripote les bouteilles. Ben revient avec le tire-bouchon. Il frime moins, le Ben, maintenant, il la ramène plus. Minable, tout en gueule et rien dans la culotte. Rumi en sourit presque.

Les bouteilles sont vieilles. Les bouchons sautent. Certains partent en purée. Mais ça sent, c'est de l'ancien. C'est du bon. Je sais pas ce que c'est. En goûte une autre, tiens, c'est du blanc. Bouteille bourguignonne, il a appris. Ouvre une bordelaise au cul bien creux et au verre épais. Fameux. Finalement, il commence à aimer le vin, Rumi. La bière, ça glisse bien, mais, comme plein de choses, c'est source d'aigreurs.

20

Donc nous sommes en train de boire un coup.
Ailleurs, cela s'appellerait un apéritif. Ou une dégustation
si on savait vivre. Ici, ce serait plutôt un interlude.
Vous allez voir, c'est moderne. Ou ancien, c'est comme
vous voulez.
Si on en profitait pour faire un peu d'histoire? C'est
important, l'histoire, surtout que nous avons besoin de nous
calmer un peu, n'est-ce pas?

Le mari de Francine est mort en juin 74.
Ils se trouvaient dans leur maison du cap d'Antibes avec
quelques amis. Oscar ne voulait aller passer l'été nulle part
ailleurs. Quelques escapades à Salzbourg, Milan ou New
York pour les affaires et l'opéra (sa passion, après l'argent),
et c'était tout. Le cap d'Antibes était idéal, la maison magnifique, il y avait du calme, une belle pinède, du soleil si on en
voulait et toujours un petit vent frais venu de la mer.
Ce jour de juin, il faisait particulièrement chaud. Oscar et
ses amis jouaient au ping-pong au bord de la piscine et ils
buvaient des pastis entre les parties. Finalement, ils s'étaient
tous jetés à l'eau, et Oscar était resté au fond.
Hydrocution, infarctus, Francine n'avait jamais bien su.
L'accident avait été brutal. Vite le téléphone. En un rien de
temps, ses amis s'étaient occupés de tout, tandis qu'elle restait dans le flou total, assise dans un fauteuil en rotin face à
la mer, sans paraître comprendre ce qui se passait. Une amie

lui avait longtemps tenu la main, elle avait essayé de la consoler, de lui apporter un peu d'apaisement. Mais Francine n'avait nul besoin de consolation ni d'apaisement. Elle était partie dans un pays lointain où Oscar et elle étaient immortels, deux enfants gambadant sous les pins, à l'infini et pour toujours.

Le médecin parla de choc, de bouleversement émotionnel majeur, difficile de se tromper. Il prescrivit un séjour en clinique pour une cure de sommeil. À l'époque, on aimait beaucoup les cures de sommeil. Le psychiatre était un bel homme dans la soixantaine, élégant, admirablement ridé, l'œil qui peut tout entendre derrière ses paupières de vieux sage. Il avait utilisé un vocabulaire beaucoup plus élaboré : effondrement anaclitique, fantasmes archaïques destructeurs, perte d'objet préœdipien... Sans le nœud papillon en soie, on aurait pu le prendre pour un poète, ce type. Il cachait bien son jeu, ce n'était pas un poète. Il savait seulement manier les mots qui impressionnent et il avait l'air de partager réellement votre souffrance. En échange de tout ça, ses patients n'hésitaient pas à lui payer des honoraires étourdissants.

En cours de traitement, sonnée par les médicaments, Francine eut une brève liaison avec lui. On peut le dire comme cela, le ravissement des chairs eut un effet bénéfique puisque cette femme dans la belle quarantaine sortit peu à peu de sa bulle protectrice. Elle replongea dans le monde des émotions, fit plusieurs scandales dont un alerta si fort l'épouse du psychiatre que Francine Kennedy fut immédiatement reconnue comme guérie et renvoyée dans ses foyers. Là, elle pleura beaucoup, enfin seule avec elle-même, les yeux fixés sur la piscine dont le mouvement perpétuellement immobile de l'eau l'hypnotisa pendant plusieurs semaines.

Les yeux secs, Francine revint s'installer à Lyon où elle commença lentement à organiser sa vie de veuve.

Quelques mois plus tard, elle trouva l'argent.

Par hasard. Dans sa penderie. En ramassant un manteau.

Oscar avait tout prévu, mais il ne lui avait parlé de rien, la mort l'avait surpris avant. Il avait caché quelques billets dans l'appartement en se disant que sa femme en aurait besoin s'il mourait avant elle, ce qui était probable puisqu'il avait quinze ans de plus qu'elle. Au moins pour les premiers frais. Une lettre expliquait d'ailleurs tout cela et s'achevait si gentiment : «Pardon de t'avoir quittée, ma reine, des baisers pour toujours, signé Oscar, ton roi à jamais.»

Oh, Oscar, dit-elle, redoublant de larmes en comprenant l'importance de la somme. Sa banque débordait, ses avoirs ne se comptaient plus, du moins elle ne les comptait plus, ses propriétés se géraient toutes seules, mais là, cet argent sonnant et tonitruant lui apportait un vent d'autonomie et lui faisait beaucoup plus plaisir que ses bijoux, fourrures et tout le tralala dont elle ne connaissait qu'une infime partie. Elle se jura de gérer cette petite fortune toute seule. Personne n'en saurait rien, elle se le promit.

Mais cet argent lui apporta du souci. Elle devint le savetier de la fable. Plusieurs fois par mois, puis par semaine, puis par jour, elle allait vérifier son bien. Elle perdit le boire et le manger à tous les changements de coupures, et il y en eut plusieurs. Ne parlons pas de la survenue de l'euro. Elle passa près de l'embolie et dut être hospitalisée durant deux semaines pour l'aider à passer l'épreuve. Comment je dois faire, Oscar, où es-tu? Heureusement, à la banque, ils savaient. Contre une bonne commission.

Puis, quelques années passèrent et apportèrent un peu de sérénité. L'angoisse diminua. Francine ne vérifiait plus qu'une fois par semaine. Parfois moins.

Récapitulons.

Dans la cuisine, Francine est assise, un linge sur la tête. Dans le salon, Dora triture son portable et passe son temps à regarder par la fenêtre. Elle guette son père.

Rumi, assis par terre, est maintenant en train d'ouvrir les bouteilles. Deux ont roulé au loin. Daubées! il avait dit, le spécialiste, en les balançant devant lui.

Ben attend que Rumi ait son compte, ce qui ne saurait tarder.

Au grenier, on ramasse le riz.

Assise sur une marche d'escalier, une femme pleure

l'innocence perdue d'une enfant, le gin, le manque d'amour et l'inutilité de la vie.

Freud est assis à l'extrémité de la marche. Elle ne fait pas attention à lui. Il lui tend un mouchoir. Elle ne le voit pas et elle s'essuie les yeux avec sa manche de chemisier.

Il comprend, Marie-Cécile n'en peut plus, elle se sent agressée de toutes parts. Elle est au bout de ses ressources. Il a connu cela à la mort de son petit-fils. Et pourtant il a continué de vivre. Si on peut appeler cela vivre, avec cette énorme plaie dans la bouche ? *Scheisse.*

Peu importe, je suis là, il murmure. Elle tourne la tête vers lui.

Chez de la Salle, les homards commencent à revivre à travers la vitre du four. Les deux se tiennent la main. Pas les homards.

Chez Boussac, ça ronfle. Une nouvelle fois, il n'y a rien à dire sur la génétique, Aurélie est bien la fille de son père.

21

L'esprit saturé par un mélange de prémonitions et de peurs, Francine Kennedy a soudain entendu quelque chose. On a sonné. Pas comme tout à l'heure. Une sonnerie différente. Feutrée. Une sonnerie qu'elle est certaine d'être la seule à avoir entendue. Une sonnerie secrète. Secrète, évidemment.

Aucune hésitation dans ce cas à braver l'interdit du monsieur. Elle se lève. Direction le second Interphone de la maison, juste à l'entrée de la cuisine. C'est très pratique et très discret, n'est-ce pas? Ils ont trouvé le bon moyen pour la contacter. Elle appuie sur le bouton.

— Oui, fait-elle, la voix tremblante.

Le bruit de la rue lui répond, grésille, lointain.

— Vous savez que nous avons d'énormes problèmes, ici, chevrote Francine.

— Ici? demande une voiture qui glisse sur la neige des pavés.

Silence.

— Mais oui. Au quatrième. Il se passe des choses très inquiétantes. Des choses d'un genre particulier, mais très inquiétantes.

— Très inquiétantes, vous dites? s'inquiète au loin le claquement d'une portière.

— Oui, comprenez que je ne puisse pas en parler librement.

— Je comprends, lui répond une autre portière.

— Venez, s'il vous plaît.

— Eh bien, ouvrez, je monte, disent en chœur chacun des millions de flocons de neige qui s'abattent sur la rue d'Auvergne.

— Merci, monsieur. J'espère que vous êtes de la police car nous avons bien besoin de vous. Ils me frappent, ils me commandent. Ils me disent des horreurs. J'ai peur qu'ils ne s'en prennent à mon argent, si ce n'est déjà fait. Et il faut que je vous dise aussi...

Elle attend vingt secondes et murmure :

— J'ai gagné au Loto.

— Non ? dit au loin un bébé derrière le plastique de son landau.

— Si. Mais ils ont aussi volé mon billet. Vous voulez que je vous dise les numéros ?

— Non, inutile, assure la statue d'André-Marie Ampère, nous vous croyons.

La Hongrie de ses origines est plutôt un pays où il fait froid l'hiver, ne disons pas du mal pour le plaisir d'en dire, Lubba devrait être génétiquement capable d'affronter les intempéries. Il devrait surtout savoir s'habiller en conséquence. D'accord, il porte un anorak. Mais pourquoi le père de Dora a-t-il gardé aux pieds les mocassins italiens dont il aime se chausser à son cabinet, légers, aériens ? Ce petit luxe lui rend l'analyse plus confortable, au moins en a-t-il l'impression. Il ne sait pas. Entre la golfeuse et lui, question chaussures, je me demande s'il n'y a pas des liens.

Cinq malheureux centimètres de neige et voilà le psy transformé en funambule, bras écartés et pieds trempés. Il avance péniblement, tombe, dérape, se traite de crétin. Il songe à remonter à son cabinet. Pour y faire quoi ? Il n'a qu'une vieille paire de Nike. Pas de neige avant demain matin avait dit la météo. Encore un qui croit ce qu'on dit à la télé.

Il longe la Saône. Les péniches sont blanches sur le noir de l'eau où se reflètent les lampadaires du quai. C'est beau. Les voitures balancent de la gadoue en gerbes sur le trottoir. Allez, avance. Fais vite, a dit ta fille. Je fais ce que je peux, ma chérie. Il a fait à peine deux cents mètres, il renonce. Il décide de retourner chercher ses Nike.

Marie-Cécile Boussac s'est redressée. Elle descend du grenier en pleurnichant sur son manque de caractère. Qu'est-ce que je suis con, elle se répète ça en tâtant le bout des marches. J'espérais quoi, le prince charmant, le roi des plages, *Lo Sceicco Bianco* en personne ? Une vieille con, voilà ce que je suis. Nous allons finir par la croire. Il n'empêche, ce salopard de faux noble, il ne va pas l'emporter au paradis. Tu vas voir ce que ça fait, de pervertir ma fille, tu vas voir. Un autre éclair de lucidité, tout à l'heure elle a profité de ses larmes pour ôter ses chaussures de golf qui lui font un mal de chien.

Elle n'a jamais joué au golf de sa vie et pourtant elle en meurt d'envie. Même si les godasses sont moches, bicolores comme dans les années 20, plates et mastoc avec la languette festonnée pour se donner un genre. Tant pis, Marie-Cécile aime ce qui fait chic. Souvent, dans les conversations, elle laisse entendre, elle suggère l'idée que, dans son milieu, eh bien oui, on tape dans la balle. Au Club Diane de l'Isle, c'est tellement bien fréquenté. Et quand on lui demande son handicap, elle laisse planer sa réponse parce qu'elle n'y connaît rien. Elle a un peu appris. La première fois qu'on lui a posé la question, elle a répondu « Un handicap, moi ? Vous voulez rire ! ». Et elle était passée pour une mule. Maintenant elle change vite de sujet, elle renvoie la question ou raconte les fabuleux parcours écossais. Elle a lu ça dans *Géo*. Rien à voir avec l'Isle.

Et pourtant, je suis de gauche, elle se dit. Je vote à gauche. Parfaitement. Et je porte le truc du sida. Pas tous les jours, remarque. Mais, pour les escaliers, j'aurais mieux fait de prendre des pantoufles.

Elle se met à rire, elle vient de penser aux chaussures de foot de son mari. Avec les crampons. Avant, il jouait au foot, Boussac. Maintenant, ça se passe dans la loge du sponsor avec les sommités, tous les quinze jours à Gerland. Et il rentre fait comme un rat. Et c'est elle qui lui tend la bouteille de Maalox. Parfois, c'est toutes les semaines, quand c'est la coupe de ceci cela. Je le vois d'ici en train de gesticuler et hurler dans le bus en agitant l'écharpe de l'OL. Pauvre type.

Elle descend l'escalier, les souliers dans une main, l'autre accrochée à la rampe.

Sur le palier du quatrième, Marie-Cécile s'arrête. La porte de Mme Kennedy est ouverte. Elle s'approche. À gauche, c'est bien une plante verte. Du reste, il y a la même de l'autre côté. Le type au costume blanc n'est pas là, mais, avec le gin, autant se fier à ses chaussettes.

— Que se passe-t-il ? elle fait à haute voix.

Il ne répond rien, c'est tellement inutile.

On entend des bruits de verre, des chocs, des hurlements. Une salve de rires gras, d'autres hurlements genre Sioux, puis plus rien. Puis des paroles dont elle ne comprend pas le sens.

En penser quoi ? se dit-elle, parce qu'elle se parle souvent, Marie-Cécile.

Elle est curieuse. Elle pose ses chaussures de golf sur le paillasson et elle entre. Deux couloirs partent du vestibule. Celui de droite est éclairé. La cuisine, comme chez elle. Plus loin, le salon, visiblement très élégant.

D'abord, premier coup d'œil, il y a un vison abandonné sur un fauteuil. Genre fin de soirée dans le grand monde. Plus loin, près de la fenêtre, une jeune fille semble monter la garde. Sur le canapé, un homme vêtu d'un blouson de cuir se tient penché en avant, la tête dans les mains comme s'il venait d'apprendre une pénible nouvelle. Des mèches de cheveux blonds s'échappent entre ses doigts écartés. Il a l'air accablé.

Il y a de quoi, elle pense, quand, se décalant sur la droite, elle découvre un deuxième convive vêtu comme un clochard assis par terre, jambes écartées, le dos contre un bahut, en train de s'organiser un parcours vinicole. Des bouteilles sont alignées devant lui, sur la table basse. Par terre, des débris de verre, des tasses brisées, une boîte de chocolat en poudre nage dans une flaque de vin.

— Bonsoir, dit-elle.

— Qui c'est ? crache Rumi.

— Marie-Cécile Boussac.

Rumi lève la tête. Il a les yeux de la myxomatose.

— Qui ça ?

— La voisine.

Il la déshabille rapidement du regard. Pas trop mal pour son âge, je pourrais me la faire, il pense.

— Entrez, vas-y, entre. On est en pleine teuf, on goûte du pinard. On déguste, je devrais dire, pas vrai, Trep ? Je parie que tu en as jamais bu du comme ça. Putain, c'est du vieux. Entrez, goûte-moi ça.

Il lui tend une bouteille couverte de poussière.

Elle n'en croit pas ses yeux. Elle s'écarte de la bouteille et regarde ce qui l'entoure. Oh, le décor ! Elle est rarement entrée chez Mme Kennedy, deux ou trois fois pour parler de travaux dans l'immeuble avant une réunion de copropriété, et dernièrement une histoire de paquet que le livreur avait laissé chez elle pendant son absence. Mais les deux femmes étaient restées dans le hall. C'est grand. Le double de chez eux. Et elle est toute seule. Tous ces meubles, ces antiquités. Il y en a qui ont de la chance. La gamine près de la fenêtre paraît propre (pas comme Aurélie, petite garce à me mettre dans des situations impossibles), les deux types ont l'air de sortir tout droit d'une poubelle.

Rumi crie tout à coup :

— Il faudrait des verres, bordel !

— J'y vais, dit Ben, pour éviter qu'il ne pense à Dora.

— Tu restes là, Trep. Toi, la blonde, tu sais où c'est ?

Estomaquée, Marie-Cécile, pieds nus sur le Chiraz du salon. On me tend une bouteille et maintenant on me tutoie ?

— Oui ou non ? insiste Rumi.

— Je crois.

— Eh bien, tu y vas. Et tu te dépêches.

Elle obéit, elle ne sait pas trop pourquoi alors que la seule chose intelligente à faire serait de quitter immédiatement cet appartement et d'aller se réfugier chez elle. Mais non.

Elle pousse un cri en arrivant dans la cuisine.

Francine Kennedy, un chiffon sur la tête, est debout à côté de la porte, une main en avant comme à colin-maillard, l'autre accrochée au combiné de l'Interphone. La vieille femme est en train de chuchoter dans l'appareil en tordant la bouche.

Avec une voix de fillette.

— Tu vois, Oscar, je m'y attendais...

Elle change de registre, devient une femme autoritaire :

— Montez, oui. Venez avec vos hommes... Tu vois, on ne peut faire confiance à personne, l'argent, toujours l'argent, il n'y a que cela qui les intéresse... Dépêchez-vous, ils m'ont tout pris. Je venais de gagner à la loterie, mais non, excusez-moi, je veux dire au Loto, bien entendu, j'avais tous les numéros, je ne suis pas du genre à dire que j'ai gagné si je n'ai pas tous les numéros... Écoute, Oscar, j'avais rangé mon ticket dans la boîte de biscuits, tu le sais, c'est toujours là que je le range... Comment ça, je ne joue jamais ? Mais si, souviens-toi. Tu ne me crois pas, c'est ça ? Tu veux que je te récite les numéros ? Si si, je vais te les dire... Tu ne me crois pas alors je vais te les dire, c'est tout... Bon, d'accord, mais j'ai gagné. Je te promets. Et, bien entendu, dès qu'ils sont arrivés, ils se sont précipités, je ne sais pas lequel, j'ai ma petite idée. En tout cas, le ticket a disparu... J'espère que vos hommes sont armés...

Après un instant de stupéfaction, Marie-Cécile se précipite pour porter secours à sa voisine.

— C'est moi, madame Kennedy, c'est moi ! crie-t-elle d'une voix affolée.

Elle ne comprend rien. Elle a peur. Elle tente de lui enlever l'Interphone pour pouvoir la libérer de son châle. Francine ne voit rien, elle se croit attaquée, elle se défend, elle fait de grands gestes dans le vide. Surtout, ne pas se séparer de l'appareil, elle chuchote à petits cris :

— Non non, je ne veux pas, non, non, sortez, montez vite, elle est arrivée... Tu vois, Oscar, elle est là, je le savais... Au secours, vous allez me tuer... Viens vite, venez vite, elle va me tuer !

Finalement elle lâche l'Interphone et Marie-Cécile parvient à lui retirer le voile.

La vieille femme a l'air complètement perdue. Elle garde

les yeux fermés. Elle continue de marmonner des mots incompréhensibles.

— Madame Kennedy ?

— Qui êtes-vous ?

— Votre voisine du dessous. Je suis Mme Boussac. Vous me reconnaissez ?

Francine ouvre les yeux. Longue inspection, bouche pincée.

— Certainement pas.

— Mais si, madame Kennedy, souvenez-vous ! Je suis déjà montée chez vous. La dernière fois, c'était pour un paquet, rappelez-vous, en fin d'année...

— Ne me touchez pas ! À l'aide... Au secours...

Francine délire. Son esprit a sombré, mais son corps se redresse, se raidit.

Elle relève la tête, son menton pointe, le reste du visage est crispé et pâle.

Elle attrape le bras de Marie-Cécile, elle le serre comme si elle voulait lui faire mal, puis elle la repousse brutalement et articule lentement :

— Je sais tout. C'est vous qui me volez... Venez vite, crie-t-elle à la cantonade, elle va me tuer, elle veut prendre ma loterie. J'ai gagné la loterie et elle le sait... Vite, à l'aide, protégez-moi...

Toujours les deux voix. Démence et folie se répondent.

Elle tourne la tête tantôt à droite, tantôt à gauche, comme si elle suivait quelqu'un des yeux. Elle ajoute, toisant Maricé :

— Vous êtes venue habiter dans mon immeuble pour me surveiller, n'est-ce pas, et, à la première occasion, vous m'avez volée... Tu vois, Oscar, je le savais.

— Mais non !

— Toujours à me guetter. À vouloir entrer chez moi pour espionner. Vous avez réussi avec vos complices ! J'avais tous les numéros de la loterie, vous le saviez ! Vous avez pris mon billet. Le seul gagnant, ils l'ont dit à la télévision, j'ai vu les numéros de mes yeux.

— Mais je vous jure que non, madame Kennedy !

— Ne jurez pas, vous mentez. Mon argent était pourtant bien caché.

— Je ne le savais pas.

— Mais si, vous le saviez. Vous êtes venue en prétextant un paquet ! Comme si j'étais le genre à recevoir un paquet !

— Mais si !

— Arrêtez de mentir. Tu vois... Rendez-moi mon argent. Il y en avait beaucoup. Des billets. Une fortune, n'est-ce pas, vous avez eu le temps de les compter ?

Francine tourne la tête à droite et fait mine de tendre l'oreille comme si une voix venait de là.

— Vous m'avez tout pris. Au secours !

Francine Kennedy piétine d'impatience, de rage. Elle serre les poings. Ses traits sont figés par la haine. Son allure distinguée vient de disparaître. Elle est devenue fripée, presque souillon, un pan de son chemisier est sorti de sa jupe, ses bagues ont du mal à scintiller dans le néon de la cuisine. Elle fait trois pas en arrière, revient vers Mme Boussac, repart en arrière, on dirait qu'elle écoute une voix intérieure.

— J'ai appelé la police. Ils sont en bas. Ils sont en train de monter.

— La police ?

— Parfaitement. J'ai porté plainte.

— Mais vous n'avez pas le droit !

— J'ai tous les droits, pauvre folle ! J'ai été volée. Par ruse, c'est le commissaire qui vient de me le dire. Il a tout de suite compris. Parce que je suis une vieille femme, c'est plus facile. Il m'a tout expliqué. C'est un homme charmant. Ils vous surveillent depuis longtemps, il m'a dit...

— Mais c'est faux !

— Sans parler des bijoux que vous m'avez dérobés pendant que j'avais le dos tourné. C'était si simple, pensiez-vous. Une me tient la jambe et l'autre fouille chez moi et s'empare du butin. Vous pourrez vous pavanez avec, faire la belle pour avoir de nouveaux hommes.

— Je n'ai pas volé vos bijoux, madame Kennedy, je vous le jure.

— Assez ! Silence ! On me vole, au secours !

Francine a hurlé tout en poussant une chaise qui tombe avec fracas.

Freud est juste derrière elle. Sidéré par ce qu'il voit et ce qu'il entend. Il oublie tous ses devoirs, ce qui le mène depuis toujours, il prend peur. Il recule, il essaie de se faire tout petit. Il veut échapper à tout ça. Il ouvre la porte et se glisse doucement dans le cellier. Il ne supporte plus la folie, en fait. Elle le terrorise. Il veut disparaître.

Mais, en refermant la porte, il réalise qu'il est en train de fuir. Il a honte. Une force le pousse en dehors du réduit. Il regarde les deux femmes. La vieille Francine hirsute avec ce linge qui lui pend à moitié sur le visage et dont les yeux lancent des éclairs. Et Marie-Cécile, les joues rouges d'émotion, fragile, bafouillant, les mains agitées devant elle comme si elles voulaient convaincre. Rendre service. Aider. Oui. Et comment ?

Un bruit de bousculade et on entend la voix de Ben crier :
— Dora, reste au salon !
Rumi et lui apparaissent à la porte.
Francine se tourne vers eux.
— Et voilà le reste de la bande... Tu vois, je te l'avais dit, fait-elle en ricanant comme dans un mauvais film.
— Je suis la voisine, répète Maricé. La voisine. Montrant le carrelage de la main, elle ajoute bêtement : J'habite juste en dessous.
— Et vous la volez ? Ce n'est pas joli-joli, fait Rumi en se marrant.
Prendre la situation à la rigolade n'est pas très intelligent. Cela met la vieille femme en fureur, elle se met à cracher des insultes. Elle bondit sur Marie-Cécile, griffes en avant, comment une femme de son âge peut-elle montrer autant d'énergie ? Des traînées de sang apparaissent sur la joue de Mme Boussac, ex-jamais golfeuse, ça lui aurait fait un genre au club, mais ça ne calme par Francine. Maricé essaie de la contenir, ses bras sont secs sous le chemisier, la mère Boussac a peur de lui faire mal, elle serre juste ce qu'il faut.

Francine l'attire à elle et lui mord le bras. Maricé essaie de se dégager, l'autre tient bon. Puis soudain la vieille femme s'écarte. Ses traits changent encore. Il vient de se passer quelque chose. Comme si l'angoisse venait de se solidifier. Ses yeux concentrent une vie minérale qui transperce Marie-Cécile Boussac, mais c'est un regard vide qui porte loin, bien au-delà d'elle pendant que son corps semble se relâcher. Le sourire figé sur les lèvres, elle s'approche à pas glissés des meubles de cuisine. Elle vient de voir le couteau à découper que Rumi a balancé sur la desserte quand il s'est rendu compte qu'il en avait déjà un à la main.

Que s'est-il passé dans sa tête? Francine Kennedy a basculé de nouveau. Cette fois dans le monde de la Certitude. Le plus dangereux. Elle se sent calme. Elle vient de comprendre qu'elle n'a qu'un seul moyen pour s'en sortir. Ensuite, elle retrouvera son argent, c'est certain.

D'abord, il faut faire disparaître la voleuse. Plus de voleuse, plus de vol.

Le raisonnement se tient. Pourquoi pas? De toute façon, elle est seule contre tous. Il faut qu'elle se défende contre cette bande de voleurs. La femme en premier, ensuite les deux nervis. Francine se dit aussi qu'il ne faut rien montrer. S'énerver est inutile face à des gens si bien organisés.

D'abord, faisons comme si le couteau n'existait pas. Comment est-ce possible alors que l'on sait qu'il s'agit de son Sauveur? Ils ne pourront rien faire contre le couteau, Francine en est persuadée.

La vieille femme évite de le regarder et pourtant il l'attire tellement, sa lame brille sur le bois, on dirait qu'il l'appelle. Elle s'efforce de marcher lentement.

Tout se passe très vite.

Les trois personnes qui l'entourent ont à peine remarqué le revirement, et pourtant Francine en rajoute, elle cligne de l'œil comme si elle voulait marquer une complicité avec l'un ou l'autre. Personne ne comprend le message. Personne ne lui rend son regard. Une vieille femme, tu parles, elle est folle de chez barge et c'est tout, et puis c'est une si gentille grand-mère, disait il y a encore quelque temps Mme Boussac.

C'est le moment de se racheter, Freud fait aussitôt un pas en avant et se place devant Marie-Cécile. Il va s'interposer. Il a compris. Elle est en danger. Il faut qu'il la protège. D'un œil il voit les deux garçons statufiés à l'entrée de la cuisine. À côté de lui, la vieille femme fait des singeries, elle est très agitée.

Personne ne voit le couteau. D'ailleurs, à part celui de Rumi qu'il montre à tout bout de champ, il n'y a pas de couteau ici, n'est-ce pas ?

— Une tasse de thé, peut-être ? demande soudain Francine d'une voix rauque.

On lève des yeux étonnés. On se regarde. Les lèvres de Maricé ébauche un « N... »

Mme Kennedy, quatre-vingt-un ans bientôt, se penche alors en avant, attrape le coutelas, le lève, puis le plante dans le thorax de Mme Boussac qui a le mauvais réflexe de se pencher en arrière au lieu de reculer.

Un coup suffit.

Il n'a rien senti.

Le couteau l'a traversé comme une flèche traverse la brume. Il est resté immobile, blessé de ne rien pouvoir faire. Parce qu'il sait. Il a tout de suite entendu un bruit atroce derrière lui, un vacarme de boucher qui explose dans sa tête et lui rappelle le claquement du tranchoir quand sa mère l'emmenait Aubergstrasse acheter de la viande chez Tannersmith. Le souvenir est si violent qu'il a immédiatement devant les yeux le tablier plein de sang du boucher. Il essaie de repousser cette vision, impossible de bouger sans s'écrouler par terre. Impossible de se retourner et pourtant il le faut.

Il se retourne.

Le soutien-gorge Wonder spécial pommes éclate avec le chemisier, du sang explose de partout. Vu la taille de la lame, si elle est passée entre deux côtes, elle a fait des dégâts. C'est le cas.

Marie-Cécile Boussac s'effondre sur le carrelage, un sein à l'air, inutile et dernière tentative de séduction d'une femme qui avait décidé de finir l'après-midi dans les bras d'un homme. Le sang inonde la cuisine.

Ben et Rumi sont soudés dans l'immobilité, épaule contre épaule.

— Nom de Dieu ! fait Ben.

— La pute ! crie Rumi.

Il se précipite sur la vieille femme et la gifle. Elle lâche le couteau et recule vers le fond de la cuisine en se tenant la joue.

— T'as vu ça ! Non mais t'as vu ça ? Ça a cent berges et ça manie le couteau comme un homme, vérole de vérole. À qui tu fais confiance, bordel, à qui tu fais confiance, dis-le-moi, espèce de connard ? C'est dingue, c'est trop dingue !

Il bouscule son ancien associé et fait un tour sur lui-même. Comme un chien fou qui veut s'arracher la queue.

— Qu'est-ce qu'on fait, maintenant ? Qu'est-ce qu'on fait maintenant ?

— On appelle les flics, dit Ben.

— T'es ouf ? Et tes empreintes, Dunœud ?

— Je n'ai pas touché le couteau.

— Moi si, fait Rumi.

Évidemment, vu sous cet angle...

— Il y a une autre solution, dit Ben.

— Vas-y, le génie des boîtes de nuit.

— On nettoie la cuisine et le salon à fond et on emmène le corps. On le balance dans le canal, vers la Feyssine, là où il y a des tas de bagnoles la nuit.

— Des putes, précise Rumi.

— Si tu veux. Mais, avec la neige, ça peut être tranquille.

— Pas faux. Sauf qu'il faut y arriver. Tu as une voiture ?

Ben réfléchit à peine.

— Non.

Rumi avance alors vers Ben.

Il vient de prendre une décision. Cela se voit à son regard qui s'est brusquement enfiévré.

— Pardi, pas de voiture. Il y a toujours une histoire de bagnole avec toi, comme tout à l'heure, hein, quand la vieille a répondu au téléphone. Écoute, Trep, depuis le temps qu'on me cherche, que la vie me marche sur la gueule, je rêve de faire quelque chose pour me libérer de toute cette merde. Appelle ça comme tu veux, une idée fixe, je m'en branle. Je veux me faire respecter, je veux exister. Tu comprends ça, espèce de minable ? Tu me pourris depuis pas mal de temps. Avec ton copain Marco, vous me taillez, vous me pillez. Je suis le prolo de service, le mec qui se tape le sale boulot. Depuis un an vous me prenez pour un con, tout le monde me prend pour un con. Tout le monde... Je vous emmerde tous... Alors aujourd'hui, je dis finitas. Il y a longtemps que j'ai envie de faire ce que je vais faire, Trep, mais je menace, je cause, je gesticule et finalement je reste là comme un puceau, le poireau à la main. Alors voilà, tu vas voir, moi, j'ai une autre solution. Je vais commencer par toi, et ensuite je me ferai la grand-mère et je terminerai par ta copine...

Sa main est partie.

Rumi a dû s'entraîner devant la glace. Mais Ben s'est déjà battu contre des couteaux. Il a fait un écart au dernier moment, la lame déchire la poche de son blouson.

Rumi a l'air content. Touché. Mais Ben ne tombe pas. Rumi est étonné. Une chaise traînait devant lui, Ben la lui balance en travers des jambes. S'il pense s'en tirer comme ce matin en balançant le mobilier, il se trompe, se dit Rumi. Galvanisé par l'audace du geste qu'il vient de faire, il a retrouvé des qualités d'anticipation. Il évite la chaise, olé, et il l'accompagne du pied jusqu'à l'évier. Mais il y a aussi l'alcool, qui n'est pas un accélérateur de la pensée ni un facilitateur d'intelligence. Son idée de récupérer le gros couteau de cuisine est sotte. Il en a déjà un, il vient d'essayer de piquer Ben avec, mais il n'a pas été très efficace pour une première fois. Parce qu'il se dit que la lame n'était pas assez grosse. Et, par terre, il y a ce gros couteau, il n'a qu'à le ramasser. Putain.

Il écarte les pieds et se penche. La cuisine vient de faire un grand tour, il ferme les yeux. Ça s'appelle un vertige, mon gars, tu bois trop. Tu vas te casser la gueule dans pas longtemps.

Ben a compris la situation. Au moment où il voit Rumi attraper le couteau dont la vieille s'est servie pour frapper Maricé, il le pousse violemment du pied et le pauvre Rumi tombe et s'empale dessus. En plein bide.

22

Dora ignore ce qui s'est passé dans la cuisine.

Elle les a entendues discuter. Vaguement. La vieille femme et la blonde. Pendant qu'au salon le copain de Ben buvait au goulot, trop impatient pour attendre les verres. Mais Ben, non. Il est toujours penché en avant, la tête dans les mains. Et papa qui n'arrive pas, qu'est-ce qu'il fait ? Elle hésite à appeler la police, et pourtant c'est ce qu'il faudrait faire, il y a danger, elle le sent. Mais Ben lui a dit non.

Ses réflexions ont été interrompues, de la cuisine lui sont parvenus les éclats d'une dispute. Puis la vieille dame a hurlé, Dora a reconnu sa voix. Les hommes se sont précipités. Au milieu de la cavalcade, Ben lui a crié de rester au salon. Puis il y a eu des tas de bruits. Des bousculades, surtout. Et des cris, encore des cris.

Dora a eu peur. Elle a peur, elle est terrifiée.

Elle est figée près de la fenêtre. Dehors il fait nuit. Les flocons se suivent, serrés, noirs ailleurs, blancs dans la lumière de l'éclairage public. Son regard a peu à peu osé regarder ce qui l'entourait. Le salon est dévasté. Trois bouteilles sont tombées sur le tapis et suent leur vinasse sur les motifs. Une autre est allée rouler à l'autre bout de la pièce, le liquide a éclaboussé les murs. Il y a des bouts de verre partout, éparpillés d'un revers puis d'un autre, le carton de la boîte de chocolat commence à gonfler, les tasses de thé sont en miettes. Une cigarette finit de se consumer sur le parquet.

Dora se lève et ramasse le mégot qu'elle jette sur la flaque de vin, un peu plus, un peu moins. Ça grésille.

Elle se dit «Des porcs», puis corrige «Le copain de Ben, c'est un sale porc». Elle l'a dit quand même. Elle s'en veut un peu. Elle l'aime toujours, Ben, bien que l'amour ne soit plus d'actualité. Il s'agit simplement de sortir d'ici le plus vite possible.

Un instant elle envisage de partir, de les laisser tomber, après tout, elle n'a pas l'âge de ces beuveries qui risquent de mal tourner. Puis elle pense à son père. Elle l'a appelé il y a déjà un quart d'heure. Qu'est-ce qu'il fait ? Son cabinet est sur le quai Tilsitt. À dix minutes à pied. Elle ouvre son portable.

— Papa, tu es où ?

— Oui, fait Lubba à la cinquième sonnerie. C'est moi... Je vais chercher d'autres chaussures... Mon bureau. Il y a trop de neige, c'est impossible de marcher, surtout que j'ai des mocass... Je sais, je me dépêche.

Et c'est tout. Son père n'aime pas passer des heures au téléphone.

Dora raccroche, complètement déçue. Mon père est grave nul. Jamais là quand on a besoin de lui. Je suis au milieu d'une bande de cinglés et lui, pendant ce temps, il fait des bonshommes de neige. Il aurait pu venir pieds nus, comme la voisine. Un immeuble de cinglés, oui. Elle en a marre d'être grande. Enfin grande, c'est une manière de parler parce que, en ce moment, elle se sent plutôt une gamine désemparée. Elle a froid, elle a faim. Elle aurait mieux fait de rentrer chez elle. Elle a hâte de voir arriver son père. Elle se sent totalement impuissante à contempler le désastreux affrontement entre le luxe et la misère, parce que, au fond, et sans disserter pendant des heures, il s'agit bien de cela.

Dans la cuisine, deux corps sont étendus dans le sang. Il y a peu, la vie jaillissait à pleins tuyaux, maladroite sans doute, excessive et folle. Mais tous étaient vivants. Ne restent qu'une pauvre vieille démente comme un panier de cons et un grand benêt si bête qu'on le dirait sorti du panier. Né de la veille, les bras le long du corps. Hébété.

À ses pieds, Rumi gargouille.

Ben ne veut pas se baisser, il refuse de lui prendre le pouls comme on fait dans les films. Il saurait, mais il n'en a pas envie. Pas envie non plus que Rumi meure, en fait, il n'a envie de rien. À moitié mort, presque. Il porte la main à son flanc gauche, lieu du choc. La lame a coupé net la poche. C'est tout.

Il jette un coup d'œil à Francine. Elle est tassée contre l'évier, mais ses yeux le fixent comme deux lucioles. Elle n'a pas renoncé à sa folie. S'est-elle seulement rendu compte qu'elle venait de tuer une femme ? Probablement pas. Encore que le coup de couteau ait été intentionnel et vigoureux. Et précis. Mais c'est le gnome malfaisant infiltré dans sa cervelle qui a décidé le bras à frapper, pas la jolie grand-mère qu'il a accostée dans la rue quelques heures auparavant. C'est ma faute, se dit-il, si j'avais eu une grand-mère un jour, tout ça ne serait pas arrivé.

Ainsi pense Ben, philosophe et benêt. Comment fait-il pour nuancer son propos aujourd'hui ? C'est presque une révolution pour lui, un ex-adepte du tout ou rien. Il pense à Dora. Que faire maintenant ? Lui cacher ce spectacle, bien sûr. Et ensuite, partir d'ici. En courant. Et ses empreintes ? Impossible de les effacer. Il est foutu. Les flics vont tout ratisser. Ils ne le rateront pas.

Il lui vient bien une idée, mais il la repousse tellement elle lui fait peur.

C'est pourtant la seule solution.

Et Francine ?

Il faut l'emmener avec nous, pas le choix.

Ben est là à réfléchir, à murmurer pour lui-même, à s'interroger sur le bien-fondé de ses pensées et de ses interrogations. Il est complètement paniqué. Il ferme les yeux quelques secondes. Lui revient en mémoire qu'il a demandé à Dora d'appeler à l'aide. Elle l'a fait, il a vu le petit sourire sur son visage quand Rumi était en train de boire au goulot. Un sourire qui signifiait ne t'en fais pas, on va venir nous aider. Qui a-t-elle appelé ? Son père ? Sûrement. Elle a un père, elle.

Tout à coup on le bouscule légèrement. Le temps d'ouvrir

les yeux et il voit la jupe de Francine se précipiter dans le couloir. Il fait demi-tour pour la suivre.

Elle traverse le hall puis file dans l'autre couloir. Au passage, Ben s'arrête pour faire un signe d'apaisement à Dora. Le comprend-elle ? Pas le temps de se poser la question, il continue d'avancer et les traces de sang de ses bottes le suivent sur le tapis. Tout au bout du couloir, la dernière chambre. Elle se précipite à gauche. Lumière. Ben s'arrête. Un immense dressing. Une foule de manteaux de fourrure sont pendus là, certains sont enfermés dans des sacs anti-mites, d'autres sont à l'air libre, il y a des robes, des tas de vêtements, des chaussures en piles dans leurs cartons.

Francine est agenouillée. D'une main elle repousse les manteaux qui lui retombent sur la tête, de l'autre elle fouille en dessous. Elle s'énerve, ses cheveux s'agitent dans tous les sens, elle marmonne : « Mon argent, mon argent, mon argent... »

Machinalement Ben tend la main pour l'aider à écarter les manteaux.

Il entend un petit claquement. Puis Francine plonge en avant, on dirait qu'elle va se glisser sous les manteaux. Puis elle balance des lattes de parquet derrière elle. Elle se relève. Elle tient entre ses mains une grosse boîte métallique qu'elle presse contre son cœur et qu'elle berce. « C'est à moi, c'est à moi... »

Toujours cette voix de petite fille.

Ben est penché au-dessus d'elle. Qu'est-ce qu'elle fabrique ? Elle est complètement fêlée. Il en a assez. Il faut faire le grand ménage ou... Ou quoi ? Il ne répond pas à cette question. Non, pas le grand ménage. Mais voir ce qu'il y a dedans, et pas plus tard que tout de suite.

Alors, il arrache la boîte des mains de Francine qui glapit et s'écroule parmi les cartons à chaussures. Il ne suppose rien, il s'en fout, mais il faut qu'il voie. De ses propres yeux. Pour éliminer une question qui lui tourne autour. Il soulève le couvercle.

Les billets sont là. Violets. De cinq cents. Bien rangés. Ils remplissent toute la boîte.

— Mon argent ! crie Francine en se relevant à moitié.

Ben la repousse, le temps de bien regarder tous ces billets. De prendre conscience de leur couleur, de leur nombre. Il évalue vite fait la somme à beaucoup. La vieille lui agrippe le mollet.

— Assez ! dit-il.

Pas besoin de parler fort. Finalement, il l'aide à se relever.

— Vous avez un endroit où aller ? lui demande-t-il.

— Rendez-moi mon argent.

— Réfléchissez.

— Rendez-moi mon argent.

— Plus tard.

— C'est mon argent.

— Vous avez de la famille ?

— C'est Oscar qui me l'a donné.

— Je répète, vous avez de la famille ?

— Non. C'est Oscar, ma famille.

— Qui c'est, Oscar ?

— Mon argent.

Ben ne sait pas quoi faire. Depuis ce matin, il en a vu de dures et de compliquées. Rumi et ses chips, la régie immobilière et son Pedretti de merde, le père Marthelin dans les choux. Deux bagarres. Des couteaux. Deux cadavres. Une grand-mère à la masse et une gamine au bras qui veut le quitter. Pardon, ma Dora, ma merveille, pourvu qu'elle...

— Ben !

Dora est derrière lui. Pour l'instant, son corps occupe l'ouverture de la porte et lui cache le spectacle. Mais la jeune fille s'avance, elle veut voir. Alors elle voit.

— Ben ? Qu'est-ce qui se passe ?

— Rien, Dora, rien.

— C'est de l'argent, non ?

— Oui.

Un silence pesant. Les fantasmes vont bon train, chacun a sa locomotive. Dora flirte avec l'idée de *mauvais garçon*. Ben en est un, elle le reconnaît. Ou du moins c'est probable, essaie-t-elle d'atténuer. D'ailleurs elle le suppose depuis longtemps, depuis septembre. Depuis la fête de Bab au Double Basic, sa façon de parler, d'envisager les choses, la vie en général, les pauvres, les riches, les mystères, ses copains, je ne peux pas être plus précise, se dit-elle.

De son côté, la boîte entre les mains, Ben imagine dans une bourrasque une nouvelle existence, Dora à ses côtés, bien sûr, une maison, un travail sain, une belle vie, une simple vie dans l'anonymat. Oui, une vie possible, tout à coup, grâce à cet argent magique.

— Tu comptes en faire quoi ? demande Dora qui a peur d'entendre la réponse.

— Le prendre. J'en ai besoin.

— Il n'est pas à toi.

— Je sais, Dora.

Le soupir est triste, véritablement triste. Ben n'est pas aussi malhonnête qu'il le pense. Depuis qu'il connaît Dora, il a changé. Il sait bien au fond de lui que cette histoire d'amour, si c'en est vraiment une, aura une fin, mais en même temps, si c'était possible...

Vingt-deux ans, de la prison, un maigre diplôme, à part son physique il n'a rien pour lui, Benjamin Trep. Il n'a que l'amour d'une gamine pour le rendre meilleur et ça, c'est râpé aussi. Alors, devant la grand-mère, la boîte de biscuits à la main, il trouve que la vie est dégueulasse et il se met à chialer.

23

Ailleurs, dans l'immeuble, la situation n'a pas changé. Tout le monde dort, excepté le vieil Ernest de la Salle et Isabelle qui dansent un slow au milieu de la cuisine pendant que les homards finissent de cuire dans leur sauce républicaine et que *Ti amo* coule dans le poste. Les voix des chanteurs italiens sont toujours rauques, éraillées par les cris du rut, ce sont des voix d'hommes qui viennent de faire l'amour pendant un mois d'affilée. Là, ils se contentent de chanter, ils se reposent. Demain ils referont l'amour avec toutes celles qui auront compris le message. D'ailleurs, toutes les femmes comprennent ce type de message. Il n'y a que les hommes du Nord pour se moquer d'eux, pauvres mâles au sexe pris dans les glaces. C'est une caricature, tout le monde le sait, mais l'Italie est un si beau pays.

Dora lui a posé la main sur le bras et lui explique que son père va venir. Ben redevient immédiatement sauvage, il se braque, il est hors de question qu'il le rencontre. Les torchons et les serviettes, un clodo et un psychanalyste, vous avez vu ça où? D'ailleurs, il ne sait pas ce qu'est exactement la psychanalyse, quelque chose pour soigner les gens un peu dérangés, non? Avant, il s'en foutait, maintenant il respecte et il s'incline, intimidé devant l'inconnu. Mais pas question de rencontrer le papa. Dora laisse filer pour l'instant.

Par contre, la question de l'argent a été vite tranchée. Le prendre, Ben en est persuadé, c'est perdre Dora immédiatement. Il veut courir sa chance jusqu'au bout, le garçon, même si elle est minime. Il croit qu'il a encore droit à un bout d'essai. Il s'essuie les yeux. Ça vaut le coup, pense-t-il. Alors il pose la boîte par terre et Dora comprend. Ce n'est pas le moment de le prendre dans ses bras, mais elle aimerait bien.

Dora remarque les traces de sang sur la moquette.

— Tu saignes ?

— Non. Il y a un peu de sang, dans la cuisine, j'ai marché dedans.

— Qu'est-ce qui t'est arrivé ?

— Rien.

— Fais voir.

— Il a juste coupé la poche. Regarde.

Effectivement, la poche bâille et ne tient que par un rivet.

— Qui t'a coupé la poche ?

— Mon copain. Rumi. Il a essayé de me piquer.

— Qu'est-ce que tu dis ?

— Je t'expliquerai plus tard. Il faut qu'on parte d'ici.

— Explique-moi maintenant.

— Pas le temps, Dora, pas le temps. Il faut qu'on se dépêche, crois-moi.

Ben aide Francine à se relever. Il prend un manteau au hasard et aide la vieille femme à l'enfiler.

— Ben, qu'est-ce que tu fais ?

— On l'emmène.

— On l'emmène où ?

— Je ne sais pas. Ailleurs. Il le faut.

— Non, Ben, elle est chez elle. C'est nous qui l'avons envahie.

— Je sais. Mais il le faut. Fais-moi confiance.

Ils avancent dans le couloir. Dans le vestibule, Dora veut en savoir plus. Elle veut tout savoir, elle veut aller dans la cuisine. Elle insiste, elle lui secoue le bras.

Ben essaie de l'entraîner, elle résiste. Alors il prend une grande inspiration :

— Tout à l'heure, il y a eu une bagarre. Quelqu'un est mort.

— Qui ?

— La voisine. La femme blonde qui est arrivée.

Impossible de croire une chose pareille.

— Qu'est-ce que tu racontes ?

— La vérité. Elles se sont battues. La grand-mère et elle. Regarde-la, elle est folle. Elle hurlait que l'autre lui avait volé son argent. Tu as vu la boîte ? Elle délirait complètement, personne ne le lui a pris. Il n'empêche, elle l'a plantée. Je te jure.

Dora ferme les yeux, c'est trop pour elle, elle voulait juste une petite fugue tranquille, peut-être une soirée un peu chaude avec son amoureux, rien de plus. Au lieu de cela, il y a du sang partout, une femme morte...

— Et ton copain ?

— Il est blessé aussi.

— C'est toi qui l'as blessé ?

— Non, non, je me suis défendu, il y a eu une bousculade, je l'ai repoussé, et il est tombé sur le couteau. Il se l'est planté tout seul. C'est un accident, je te jure. Crois-moi. Si tu ne me crois pas, imagine ce que va penser la police !

La jeune fille fait un pas en arrière.

— Qu'est-ce qu'on va faire ? elle demande.

— Je n'en sais rien. Si. Partir.

— Papa va arriver.

Ben se met à trembler.

— Je ne peux pas le voir. C'est impossible, écoute-moi.

Ben soupire et lâche :

— Tu sais que j'ai fait de la prison.

Silence.

Non, Dora ne savait pas. Elle s'en doutait un peu, très vaguement, c'était lointain, en suspension au milieu de ses rêves. Mais non, elle ne savait pas. Ses jambes se mettent à flageoler. Elle s'appuie contre le chambranle de la porte.

— Vas-y. Dis-moi. Tu as tué quelqu'un ?

— Non, je te jure. J'avais à peine dix-huit ans, avec des copains...

Il lui explique comme on déclenche une avalanche.

Silence à nouveau.

— Tu comptais me le dire quand ?

— Ce soir, peut-être, je ne sais pas. Je regrette tellement ce que je suis.

Tout à coup, une seule idée s'impose : gérer l'immédiat, s'interdire de penser à autre chose. Vite.

— Qu'est-ce qu'on va faire ? elle répète.

— Si les flics trouvent mes empreintes ici, ils ne vont pas chercher plus loin. Il faut nettoyer tout l'appartement.

— Ce n'est pas possible, Ben.

— Je n'en sais rien.

Dora se passe la main devant les yeux et tente :

— Tu sais, je pourrais dire ce qui s'est passé, ils me croiront.

— Sûrement. Mais tu n'étais pas dans la cuisine.

Dora tremble. Elle regarde Francine. Elle ne peut pas le croire. Elle fait non de la tête. Impossible, pas ce corps frêle qui tremble à ses côtés. Elle prend le bras de la vieille femme.

— Demande-le-lui, si tu veux, fait Ben.

— Madame, c'est vrai ce que dit mon ami ?

— Je n'ai pas entendu.

Le sourire rusé vient de réapparaître sur sa bouche.

— Ben me dit que vous avez donné un coup de couteau à une femme, dans la cuisine. J'entendais que vous vous disputiez...

— Certainement.

Une vraie réponse, sans aucune hésitation. Et elle continue, la voix ferme :

— Mais vous faites partie de la bande, je vois. Une jeune fille comme vous, n'est-ce pas désolant ? Vous en avez après mon argent, vous aussi.

— Absolument pas.

— Je ne vous crois pas. Vous êtes probablement la maîtresse d'un de ces hommes. Vous êtes une danseuse. Ou une prostituée.

— Vous êtes folle !

— Pardi, je suis folle ! Parce que je dis la vérité, cela ne vous plaît pas ! Il faudra vous y faire, ma petite. Donnez-moi mon couteau. Il n'y a que lui pour m'aider. Que lui.

— Alors vous avez poignardé cette femme ?

— Bien entendu. Comme je poignarderai tous ceux qui en veulent à mon argent, comment espérez-vous que je m'en sorte ? Comment voulez-vous que je récupère mon bien ? Rendez-moi mon couteau.

Dora se tourne vers Ben, elle ne sait plus où elle en est, elle est complètement perdue. Elle s'approche de Francine qui la repousse violemment. Dora trébuche et tombe sur le parquet. Francine ne se calme pas. Elle s'approche et décoche un coup de pied dans la figure de la jeune fille et Dora roule en boule avant de se relever.

— Elle est complètement folle !

— Je te l'avais dit. Il faut dire que Rumi lui a mis une couverture sur la tête et qu'il l'a frappée. Elle a dû avoir très peur.

— Mais qu'est-ce que tu fais avec des gens pareils, Ben, des gens qui boivent, qui se tuent ?

— Je n'en sais rien. Le hasard.

— Le hasard ! Rumi était ton copain, non ?

— Je t'expliquerai. Il faut se dépêcher.

Dora insiste.

— Mon père va venir me chercher.

— Je sais, mais je ne veux pas le voir, je t'ai déjà dit.

— Pourquoi ?

— Parce que c'est ton père, Dora. Plus tard, peut-être, quand tout sera fini.

— On va faire quoi, alors ?

Ben relève la tête. Il assume sa panique :

— On prend la grand-mère avec nous et on se tire.

— Non. J'attends papa.

— Comme tu veux, Dora. Moi, il faut que je fasse le ménage et que j'y aille. Je vais retourner en prison, je n'ai pas le choix.

— Je ne veux pas.

Tu ne veux pas quoi ? Que j'aille en prison ? Partir avec moi ? Ben l'observe, il voit son joli front se plisser, elle hésite.

Elle se redresse tout à coup, elle vient de prendre une décision. Pourquoi ? Sauver un bout de rêve, comme on garde les yeux fermés en se réveillant le matin ? En fait elle ne sait pas. Peu importe. Ne pas penser. Sans un mot elle se précipite, elle sort un mouchoir de sa poche, et elle commence à essuyer la commode, les tiroirs, les clés de la cave, la table du salon, le parquet, elle frotte à toute allure, on dirait un papillon.

Ben ne perd pas de temps à la remercier. Il commence par la porte d'entrée puis il file à la cuisine en faisant attention à où il met les pieds, il y a du sang partout sur le carrelage. La femme est morte, cela se voit tout de suite. Son visage a un sale rictus. Rumi est toujours vautré en travers de son corps. Ben fait un pas en arrière. Il ne peut pas se pencher et vérifier s'il est mort aussi. Il ne peut pas, il a trop peur de ce qu'il va découvrir. Il entoure sa main droite d'un napperon et essuie la table qu'il se souvient avoir touchée, le dessus des chaises du même côté. C'est tout. Le tire-bouchon. Il pense au tiroir. Vite. Le cadre de la porte, la poignée... Il y a une chance sur mille que ça marche. Mais Dora vaut bien ce risque-là. Il se sent complètement nu. À la merci de tout le monde. Le premier coup de vent va l'emporter. Si ce n'est le premier flic venu. Il faut qu'ils partent d'ici, et vite. Le couloir. Il s'occupe des interrupteurs, pour un peu il frotterait les murs. Dehors, il ne faudra pas oublier l'ascenseur. La cave ? Il a poussé la porte de l'épaule, il se souvient, ça peut aller.

Dans le hall, Dora le rejoint.

— Tu as tout essuyé ? demande Ben.

— Oui. Comme j'ai pu. Les bouteilles, les cassées aussi, j'espère que je n'ai rien oublié.

— Merci.

— La chambre ! crie Dora. On a oublié. La salle de bains ! Et les placards de la cuisine, j'ai ouvert les portes ! Le frigo. La boîte de biscuits, plein de choses.

— Personne ne te connaît.

— J'ai peur.

— Je m'en occupe après, fait Ben.

L'urgence les calme. Ils se parlent comme des techniciens des *Experts*.

Il file dans le dressing avec Francine qui proteste à chaque pas, il essuie rapidement la boîte à billets, les lattes de parquet, quelques cintres, et il revient. Dora sort de la salle de bains. Puis la cuisine, vite. Le cellier aussi, la porte du frigo.

Ils se retrouvent devant la porte d'entrée.

— Allez, on y va.

Dora s'arrête.

— Et mon père ? fait-elle.

— On y va. On ne l'attend pas. Appelle-le et dis-lui que tout va bien.

— Il va être là dans deux minutes. Si ça se trouve, on va le croiser.

— Eh bien, on le croisera. Mais pas là. Vite, Dora, je t'en prie.

Elle sort son portable, l'allume et puis décide que non, finalement.

Elle prend le bras de Francine.

— Venez, grand-mère.

— Mon manteau ! elle crie.

— Vous en avez déjà un sur le dos, dit Ben.

— Ce n'est pas celui-là !

Inutile de répondre. Ils sortent.

L'ascenseur arrive. La porte grince. Coup de mouchoir.

Ben a réfléchi. Il vient d'avoir une idée. Ce n'est pas la plus mauvaise. Il appuie sur le troisième. Ils sortent, poussant Francine devant eux. Le mieux, c'est de la laisser ici. Sur le palier. Ben va voir les plaques sur les portes. À gauche, Boussac. La voisine, la blonde. Il court en face. Des initiales enchevêtrées. Là. Tout en maintenant Francine devant lui, il enfonce longuement la sonnette. Puis il lâche la vieille femme et recule vers l'ascenseur. Dora a gardé la porte ouverte. Direction terminus. Ils se regardent. Ils se sourient malgré tout. Au milieu des traces de sang sur le visage de Ben, il y a deux rides de part et d'autre de la bouche qui rassemblent toute sa souffrance. Il tend la main. Dora la prend dans les siennes et la porte à ses lèvres. Ben va déborder.

Ils sont assis côte à côte. Ils sourient quand ils se regardent. Ça gicle de partout quand ils décortiquent les pattes des homards, ça fait des bruits, c'est la fête. Le T-shirt d'Isabelle est déjà plein de bougnettes, elle s'en moque, elle qui a dehors le maintien d'une vieille fille sérieuse. Il ne faut jamais se fier aux apparences. Le diamant se trouve au milieu de la roche.

Ernest est un peu ivre. Il ne tient pas l'alcool, il n'a jamais tenu l'alcool. Après la mort de sa femme, deux whiskies le soir suffisaient à sécher ses larmes et le faire dormir douze heures d'affilée. Six mois de gueule de bois.

Jusqu'à ce qu'il rencontre Isabelle. Rue Sainte-Hélène à l'angle de l'impasse Catelin. Un accident de la circulation, deux voitures aux tôles plissées. Un homme hurlait à côté de la sienne et insultait une femme alors qu'il était dans son tort. Il avait brûlé le stop. En face de lui, on pleurait en regardant la portière enfoncée, on tremblait de tous ses membres. Il y avait quelques badauds. Une femme s'était avancée. Austère dans son imperméable gris clair, la chevelure ramenée en arrière de la tête, pas de maquillage et des talons plats. Tout de suite elle s'était penchée sur la femme et l'avait prise dans ses bras pour la réconforter. Pendant ce temps, l'automobiliste redoublait d'énergie, criait, expliquait sa mauvaise foi en brandissant son permis de conduire comme si tout le monde doutait qu'il l'eût jamais passé. Lorsqu'il avait repris son souffle, il n'avait pas eu le loisir de recommencer à hurler. La femme en imperméable s'était plantée devant lui et lui avait dit calmement : «Monsieur, je suis témoin de l'accident. Vous ne vous êtes pas arrêté au stop. Vous êtes en tort. Je témoignerai dans ce sens si besoin, et je pense qu'il y aura besoin. Je m'appelle Isabelle Vital-Ronget.»

Ernest de la Salle, un badaud parmi les autres, avait été séduit en un éclair.

Il avait applaudi.

Et voilà pour la rencontre.

Pour l'instant, c'est l'euphorie d'une soirée, moi, je pencherais pour une histoire d'anniversaire. Ils sont heureux. Ils se font goûter un bout de ci, un bout de ça.

Un bruit les laisse en suspens : la sonnette.

Isabelle pense immédiatement à Étienne, pauvre bougre de salopard de petit garçon mal élevé qui passe parfois chez son père et qui a l'habitude de fixer ses seins quand il parle à Isabelle. Elle ne peut pas le souffrir.

Ernest se lève. Il veut prendre sa robe de chambre mais il ne la trouve pas. Finalement, il enfile son manteau. Il ressemble un peu à un clochard, les pieds nus et les mollets poilus. Il enfile ses chaussures vite fait.

Il ouvre la porte.

— Oh, bonsoir, madame Kennedy !

— Ils m'ont dévalisée.

Les deux amoureux vont mettre deux minutes pour se rendre compte que la mère Kennedy est complètement siphonnée.

Ils ont pris la rue Franklin. Ils passent devant une pizzeria, ils entendent le brouhaha des conversations. Ils filent.

Il n'y a pas loin de dix centimètres de neige sur le trottoir maintenant. Les santiags sont de bonnes chaussures pour se la raconter. Pour faire du ski, évite. Prends des rangers. Quant aux Puma de Dora, elles n'existent déjà pratiquement plus. Tout cela ne fait rien. Ils se tiennent par la main. De temps en temps, Ben s'arrête, essaie de rabattre sa poche qui flotte et regarde derrière eux. Dora s'inquiète. D'un petit sourire il la rassure et ils repartent. Tournent à gauche rue Auguste-Comte. Dora ne sourit pas.

Ailleurs, loin ou si près de nous, il marche. Il tient le corps inerte de Maricé dans ses bras. Il avance avec difficulté, ce n'est pas qu'elle pèse lourd, mais il n'a pas l'habitude de porter une femme.

Ils sont dans un espace vaste et lumineux. La neige a disparu et le ciel bleu se confond avec le sol. Il a l'impression de poser les pieds de nuage en nuage. Il n'a aucune difficulté à s'orienter bien qu'il ne sache pas où ses pas l'emmènent.

Maricé... Elle ne saigne plus. Elle ne saigne pas. Elle n'a jamais saigné, il s'en porte maintenant garant. Elle a les yeux fermés et son visage est en paix. Elle respire peut-être, à très petits souffles, ses bras sont nonchalamment enroulés autour de son cou, sans la moindre pression, presque par hasard. Ou est-ce un choix de sa part ? Celui de le retenir de cette façon ? Une manière de lui montrer de l'affection ?

Étrange question, se dit-il. Mais le mot affection s'arrête dans un petit sourire. Du coup Maricé lui semble plus légère. Il avance, le terrain monte légèrement. De temps en temps, une douleur vive dans la poitrine l'oblige à s'arrêter. Il se sent faible mais il est si fort. Soigner, dit-il tout haut. Il est là, dans son costume blanc dont il ne se rappelle toujours pas à quelle occasion il l'a acheté.

24

Au lieu de l'empaler, la lame a buté sur la fermeture Éclair. Un choc. Pénétré un peu ? Va savoir, Rumi n'a rien senti. À peine il s'est retrouvé allongé en travers sur la blonde, tout l'alcool qu'il a bu depuis le matin lui est tombé dessus et l'a assommé. Il s'est endormi comme une masse. Le coma du fauve.

Maintenant, en émergeant, en bougeant, il a mal. Une douleur au-dessus du nombril, ça le vrille. Il se souvient mal de ce qui s'est passé. La vieille et la blonde, oui. Après ? Il bâille. Il a la bouche sèche. Il essaie de se redresser, mais ce n'est pas facile. Il a les pieds au sol, la tête contre le bras de la mère Boussac et le cul en l'air. Il doit avoir l'air malin. Il ferme les yeux

Qu'est-ce qui l'a réveillé ? Il n'en sait rien. Une vague agitation, des paroles, la radio, de la musique ? Il ne s'en souvient pas. Envie de pisser. Ouais, c'est ça. Finalement il roule sur lui-même et se répand sur le sol, bute contre les placards. Il se remet en chien de fusil, la douleur vient de lui traverser le ventre. Il a bel et bien été piqué, vérole de vérole, il a mal. Il porte sa main sur la zone et la ramène poisseuse. Il ouvre les yeux. Putain, je vais y passer, il râle en essayant de se relever. Il lance la main au-dessus de lui, accroche le rebord du plan de travail et se soulève. La douleur le percute encore mais elle est supportable.

Le voilà debout. La cuisine tangue un peu, il se cale contre les tiroirs. Le vertige s'estompe. Ça va. À ses pieds, la blonde. Plus loin son cran d'arrêt. Il se penche, sa main l'avale et le referme contre son cuir. Maintenant, il s'agit de s'arracher d'ici et fissa. Il se retourne, il fait un pas en avant, puis un autre. Il retombe à plat ventre, il vient de buter contre un pied de chaise. Il se relève sur les genoux, se traîne encore sur deux mètres et se met debout. Quitte la cuisine en titubant.

Puis, dehors, il attend l'ascenseur, ça va pas si mal que ça, mais pas le courage de descendre à pied. Il a hâte de se voir dans une glace. Juste pour se faire peur.

Le miroir du hall répond sans hésitation : on dirait un clodo après une rixe, jean hémorragique jusqu'aux genoux, les mains pleines de sang, la joue gauche mâchurée. Le couteau sort à moitié de sa poche. Il rectifie la chose, j'ai failli le perdre, attention, mec, attention. Il soulève son pull. Il a bel et bien été piqué. Par Ben ? Non, il n'a pas de couteau, ce pédé. En fait il ne se souvient plus. Il est tombé et puis plus rien. Il regarde. Écarte les lèvres de la plaie, juste au-dessous du nombril. Ce n'est pas trop profond mais ça saigne pas mal. C'est douloureux quand il tripote autour.

Il sort de l'immeuble. Il se repère. Personne. À vingt mètres de là, près de l'échafaudage Pirelli, la silhouette d'un homme penché en avant s'avance dans sa direction.

Il part dans l'autre sens. Il glisse un peu avec ses Adidas. En face, il pisse sur une Volvo, mort aux bourgeois. Sur la rambarde du métro, il ratisse un peu de neige et il se nettoie rapidement le visage et les mains. Il se retourne. Personne. Le type a disparu. Il pense à Trep. Il est où, ce salopard ? Il hésite à descendre l'escalier du métro. Non, impossible. Les gens vont le mater comme s'il tombait direct de Mars. Il habite à Villeurbanne. Un immeuble pourri. Six étages de pauvres comme lui qui font les fins de marché et qui se pintent au pinard en brique. Il va rentrer chez lui à pied. C'est loin, une petite heure, mini, sauf si je crève avant, il se la joue dramatique, il aime bien. Bon, dans sa tête, il se fait l'itinéraire sécurité. Prendre d'abord le pont de la Guillotière, c'est large, on voit venir. Ensuite virer à gauche quai Augagneur jusqu'au pont Morand, et après on remonte vers Villeurbanne, c'est tout droit, en prenant les petites rues. S'agit pas de se faire ramasser par les flics. Remarque, ce soir, il y a peu de chances, avec ce qui tombe. Il avance lentement, courbé en deux sur le sang qui coule entre ses doigts.

Il a changé de chaussures, pris ses vieilles Nike et il est reparti. Un bon quart d'heure de marche pour arriver au numéro sept. Jan Lubba se secoue devant la porte de l'allée. Un paquet de neige a empêché la porte de se fermer, il en faut plus pour l'intéresser. Il entre. Trouve la minuterie. Quatrième étage, lui a dit sa fille. À travers les vitres latérales de l'ascenseur, il voit défiler en cercle la montée d'escalier. C'est comme chez lui, ou presque. Ces vieux immeubles ont une sacrée classe.

Lubba n'est pas vraiment inquiet. Soucieux, mais pas inquiet. D'accord, Dora l'a appelé à l'aide. Plusieurs fois. En bravant pour cela l'interdiction formelle de lui téléphoner pendant le travail, mais il s'agit là d'une simple transgression d'ado, rien de plus. Et, probablement, derrière, se cache une banale crise d'angoisse. Une bière ou deux, trois cigarettes, quelques bouffées de cannabis peut-être ? Un peu de tension et voilà, elle n'a pas l'habitude, sans oublier qu'elle s'est fait exclure du lycée ce matin. Elle doit être rongée par la culpabilité. Ceci explique cela. Quel pire Lubba pourrait-il imaginer, d'ailleurs ? L'anorexie ? Bien sûr, mais il s'agit là du fond, pas de l'urgence que la voix de sa fille voulait annoncer. Il y a bien cette histoire de grand-mère et des gens qui étaient en train de se tuer, mais tout cela doit faire partie de la dramatisation de la crise d'angoisse. Une sorte de mise en scène de l'appel à l'aide. C'est fréquent. Il est comme ça, le psychanalyste. Devant l'épreuve, il sait prendre de la distance. C'est difficile à admettre pour qui n'est pas psychanalyste, a-t-il l'habitude de dire à ses amis ! Admettons.

Il essaie de se décontracter. Même écourtée, sa journée de travail a été assez épuisante. Les temps de neige, les gens sont à moitié fous. Les dépressifs s'excitent, les excités plongent dans le marasme. Les bavards se taisent et les muets sortent des litanies. Ce qui fait qu'il n'a pas ses marques habituelles, Lubba. Depuis le temps, il s'est un peu habitué, mais peut-on s'habituer à la nature humaine ? Et, lorsque l'on est soignant, doit-on s'y habituer ? Toute la question est là.

Il arrive au quatrième étage et sort de l'ascenseur.

Tout à coup une voix d'homme retentit :

— C'est toi, Étienne ?

La voix vient de l'étage en dessous et résonne dans la cage d'escalier.

Après un silence :

— Étienne ?

Nouveau silence, puis :

— Qui êtes-vous ?

— Lubba, thérapeute, fait Lubba sobrement.

— Qui ?

Il répète plus fort :

— Lubba, thérapeute ! et remarque que la porte en face de l'ascenseur est ouverte.

— Ah. Je monte, attendez-moi, fait la voix.

Puis un drôle de bonhomme apparaît sur le palier. Grand, un peu voûté, la soixantaine bien tassée, les cheveux blancs dressés sur la tête, un visage mince, aiguisé, un manteau pied-de-poule assez chic sur les épaules, pas de pantalon et des chaussures délacées. Bon, on passe sur les détails, l'homme reste l'homme malgré ses déguisements.

— Bonsoir, fait Lubba.

— Bonsoir. De la Salle. J'habite au troisième. Tout cela est très bizarre. Je pensais que c'était mon fils. Dans l'immeuble, on n'a pas l'habitude de toutes ces allées et venues.

Des allées et venues, ah.

Ils se serrent la main.

— Enchanté, continue le postier. (Vous prendrez bien un petit sherry ?) Figurez-vous que Mme Kennedy vient de sonner chez moi il y a quelques minutes.

— Mme Kennedy ? Qui est Mme Kennedy ?

— Notre voisine du quatrième. Là. (Il montre la porte de la main.) Elle habite tout l'étage. Vous vous rendez certainement chez elle...

Et Lubba reste Lubba. À distance. Comme d'habitude.

— Je ne sais pas, dit-il. Je ne la connais pas. Mais c'est

probablement ici. Vous disiez que cette femme est venue vous voir ?

— Oui. Il n'est pas très tard, mais ce n'est pas dans son habitude. Je crois même qu'elle ne l'a jamais fait.

— Il y a un problème ? demande Lubba, puis il se souvient que sa fille a parlé d'une grand-mère. C'est une vieille femme, non ?

— Oui. Quatre-vingts, à peu près. Vous ne l'avez jamais vue ?

— Jamais. Je viens juste chercher ma fille.

— Votre fille...

— Oui. Elle m'a appelé il y a... Il y a un moment. Il semblerait qu'il se soit passé des choses curieuses dans cet immeuble.

— C'est bien ce que je vous dis.

— Je suis un peu en retard. Je suis venu à pied et il y a beaucoup de neige.

— Je vois, dit Ernest de la Salle en montrant qu'il ne comprend rien.

Lubba le sent. Il revient à la première idée.

— Donc cette Mme Kennedy est venue vous voir.

— Exactement. Elle a sonné. C'est une femme très sensée d'ordinaire. Je la connais depuis longtemps, même si nous ne nous fréquentons pas, bonjour, bonsoir, nous parlons de la pluie et du beau temps devant les boîtes aux lettres. Elle est venue pendre le thé chez nous quelquefois lorsque ma femme était encore là. Mais ce soir elle tient un discours totalement incohérent. On l'aurait volée, paraît-il. Plusieurs personnes, dont une jeune fille...

— Ma fille ?

— Je n'en sais rien. Je ne l'ai pas vue. J'ai simplement aperçu la petite Boussac, d'en face, une originale, une punk, je crois...

— Ah, fait Lubba.

Des allées et venues. Dora ? Non, une punk. Bien.

— ... Maintenant Mme Kennedy cherche son sauveur. Le drame, c'est que son sauveur, ce serait un couteau de cuisine, vous vous rendez compte ? Et figurez-vous qu'elle doit les tuer tous les deux ! Le jeune homme blessé et la jeune fille. Ils étaient deux, voilà ce qu'elle répète. Le blessé et la jeune fille. Ou plusieurs. Elle ne se souvient plus bien. Elle est complètement maboule.

— Tous les deux, hein ?

— Ou plusieurs. C'est ce qu'elle dit.

De la distance, se dit Lubba, de la distance.

— C'est ouvert. Il faudrait aller voir, vous ne croyez pas ?

— Si.

Les deux hommes pénètrent dans l'appartement. L'odeur de renfermé, déjà. Puis tabac, vinasse, remugles de bistrot. Le salon est en piteux état. Aucun des deux ne connaissait l'original, ils n'apprécient pas les dégâts à leur juste valeur. La lumière est éteinte dans le petit couloir, ce qui fait qu'ils ne remarquent pas les traces sur le sol. Ils s'arrêtent à la porte de la cuisine. Lubba bute sur son compagnon qui a stoppé net. Il se penche par-dessus l'épaule de De la Salle.

— Oh ! dit Lubba.

— Seigneur ! fait l'autre avec un haut-le-cœur. C'est une boucherie. Regardez ça !

— Vous la connaissez ?

— Oui, je crois.

De la Salle est courbé en avant. Il a l'air abasourdi.

— Mon Dieu, c'est Mme Boussac ! il chevrote.

Elle est tombée en travers, sur le dos, un bras écarté du corps, l'autre coincé dans le dos, une jambe tendue, l'autre repliée, bloquée par un pied de table. Son visage est grimaçant, son chemisier est rouge-brun et déchiré, le soutien-gorge noir pend.

Et il ajoute :

— Les Boussac du troisième. Mes voisins. Il faut appeler la police.

— Attendez, dit Lubba qui pense à sa fille.

Une vraie peur l'envahit d'un seul coup. Dora avait raison. La situation était gravissime, et lui, il prenait son temps, psy de mes deux, Dora était en danger. Elle est en danger, *cherche ta fille !* hurle une voix dans sa tête. Alors il fait ce qu'il aurait dû faire tout de suite. Il recule dans l'entrée et fonce dans le salon, jette un coup d'œil rapide, revient sur ses pas, attaque le second couloir, ouvrant toutes les portes en criant le prénom de sa fille. Il panique maintenant. Les chambres sont vides. Personne n'est entré là depuis des années. Puis il pénètre dans celle de Francine. Elle est illuminée. À droite, la salle de bains est vide. Au fond, le lit et la coiffeuse. Les fenêtres. À gauche, des lattes de parquet voisinent avec une boîte de biscuits posée au milieu d'un dressing. Des manteaux de fourrure écartés en désordre. Il se penche, voit le trou, il pense à la boîte, il imagine une cachette. Il pense vite et il a peur. Dora, Dora, il crie. Sa fille n'est pas là.

Les yeux lui piquent. Il essaie son portable. Six sonneries et la voix de sa fille : « Salut, c'est Dora. Je ne suis pas là, il faut rappeler ou laisser un message, merci. »

Il retourne dans la cuisine. De la Salle est appuyé dans le couloir, il vient de vomir. Ça sent un peu l'alcool.

— Une petite fête avec mon amie, murmure-t-il à Lubba. Aidez-moi, je crois que je vais tomber dans les pommes.

— Il faut que je retrouve ma fille.

— Ne me laissez pas, dit de la Salle qui a l'air d'avoir eu son compte d'émotions pour la journée.

— Ma fille a disparu, je viens de vous dire.

— Descendons chez moi, vous demanderez à Mme Kennedy ce qui s'est passé exactement.

— Si elle dit n'importe quoi, il y a peu de chances qu'elle m'apprenne quelque chose.

Malgré tout, il trouve l'idée bonne. Agir. Essayer d'être efficace. Il glisse son mobile dans la poche de son pardessus. Sans se préoccuper de l'autre qui le suit comme un petit chien, il descend l'escalier. La porte est fermée.

— J'ai oublié les clés, souffle de la Salle.

Il sonne. Apparaît presque immédiatement, comme si elle se trouvait derrière la porte, une femme en T-shirt et en chaussettes de laine.

De la Salle présente Lubba de la main, il a oublié son nom. Il insiste sur le *thérapeute* avec une petite moue, comme s'il trouvait cette profession inconvenante. Il commence à expliquer, mais il ne termine pas. Il met tout à coup la main devant la bouche et se précipite au fond d'un couloir. Peu après retentissent des hoquets et des bruits d'eau.

— Lubba. Je cherche ma fille.

— Isabelle Vital-Ronget, répond-elle en lui tendant une main ferme. Vous êtes psychothérapeute ?

— Oui. Analyste.

— Votre fille n'est pas là. Que s'est-il passé, là-haut ?

— M. de la Salle et moi avons découvert une personne décédée. Je veux dire une femme. Il semblerait que ce soit un meurtre. À l'arme blanche.

— Couteau.

— Probablement. Ce n'est pas un spectacle agréable. Une voisine, je crois. J'ai peur que M. de la Salle ne soit tout retourné.

— Ernest est très sensible. Quelle voisine ?

— Je n'en sais rien. Dites-moi, il y a une grand-mère ici, non ?

— Oui, elle est dans la cuisine.

— Il faudrait que je lui parle.

— Allez-y, c'est tout droit. Cela ne va pas être facile.

Francine Kennedy est assise à côté d'une assiette pleine de carapaces éclatées. L'emballage en carton est posé sur une chaise, bien en évidence, appuyé contre le dossier comme s'il s'agissait de reconstituer le puzzle des homards.

La vieille femme ne dit rien. Elle tient fermés les deux pans de son manteau de fourrure. Ses paupières sont crispées.

— Madame Kennedy ? demande Lubba.

Pas de réponse. Un frémissement du coin de l'œil montre qu'elle a entendu.

— Vous avez vu ma fille ?

Nouveau frémissement.

— Elle s'appelle Dora et elle a quinze ans.

— C'est une prostituée ! crie Francine, les yeux toujours fermés.

— Vous êtes là, c'est bien. Une prostituée, dites-vous ?

— Exactement. Ou une danseuse. Je ne sais pas où se trouve la différence. Oscar encourageait la danse, me disait-il. Le chant aussi. Mais c'était du pareil au même. Ce sont des putains.

— Ma fille est un peu jeune pour ce genre d'activités. Elle est au lycée, en première.

— Elles disent toutes ça.

— C'est vrai qu'elle était avec ces jeunes gens...

Francine a bondi de sa chaise. Le manteau s'est ouvert, dessous le chemisier est à l'air libre, la combinaison chair fait des vagues et la broche est de travers.

— Des voleurs... Avec leur chef, cette femme... Ils m'ont volée...

Elle se calme aussitôt et se rassied pour continuer sur un ton beaucoup plus mesuré :

— Vous savez certainement que j'avais gagné au Loto. Je ne joue pourtant jamais. C'est curieux mais c'est comme ça. Mais j'avais tous les bons numéros, ils l'ont dit à la télévision et je peux vous les donner. Je me demande d'ailleurs comment ils l'ont appris. Le commissaire m'a dit qu'il s'agissait d'un vol par ruse, voilà ce qu'il m'a dit.

— Et cela s'est passé aujourd'hui ?

— Vous ne comprenez rien.

— Si, si, je comprends. Et ensuite, vous vous êtes défendue ?

— J'ai été obligée. Le commissaire m'a recommandé de prendre un couteau si je devais me protéger et protéger mon bien. Il a été très clair.

— Vous l'avez fait ?

Un éclair d'inquiétude traverse le regard de Francine. Elle se penche en avant et pointe le doigt devant elle :

— J'ai fait quoi ? Vous faites partie de la bande, n'est-ce pas ?

— Soyez sérieuse une seconde, madame Kennedy. Est-ce que j'ai l'air d'un voleur ?

Elle le regarde avec intensité, les yeux maintenant brillants.

— Non, c'est vrai, reconnaît-elle. Mais le commissaire m'a conseillé de me méfier de tout le monde.

— Vous avez raison. Vous avez utilisé votre couteau ?

— Parfaitement.

— Il fallait le faire, c'est cela ? encourage Lubba.

— Exactement.

— Combien de fois ?

— Une seule fois. Cela a suffi pour que je retrouve mon argent. Mais on me l'a à nouveau volé, je suis maudite.

— Hélas. Parce qu'ensuite la jeune fille est partie.

— Parfaitement.

— Vous savez où ?

— Non.

— Elle était seule ?

— Non. Elle était avec l'un des deux hommes. Son amant, probablement. Un vaurien, une canaille. Il avait le visage en sang, remarquez. C'est à cause du cendrier.

— Le cendrier, bien entendu, fait Lubba. Ma fille, celle dont vous pensez qu'elle est une prostituée, est donc partie avec lui.

— Oui. Il y avait cette histoire de voiture. Parce que l'on m'a téléphoné. Ce devait être un code, un signal. Je n'ai pas bien compris.

— Qui aurait pu comprendre sans être dans la confidence ? Et ensuite ?

— Ils sont partis et m'ont laissée là.

— On les comprend, conclut Lubba qui se passe la main sur le visage.

Il avise une coupe de champagne posée devant lui et la siffle sans respirer.

— Une drôle d'histoire, dit Isabelle restée discrètement derrière lui. Vous voulez un verre ?

— Merci, non. Il faut appeler la police.

Les répliques sont mesurées malgré les circonstances, c'est à cela que l'on reconnaît la maîtrise de la relation sociale. Mais Isabelle s'assied brutalement et elle se met à trembler. Il semble qu'elle vienne de réaliser. Lubba regarde ses petits seins bouger au rythme de sa respiration.

— Mon Dieu, fait-elle.

— Allez retrouver votre ami, je crois qu'il a besoin de vous.

Isabelle Vital-Ronget se relève et disparaît.

Ils étaient en train de manger des homards, murmure Lubba en sortant son portable. Ou au lit. Ou les deux. Une petite fête, il a dit, le vieux.

Il doit appeler la police.

Faut-il prévenir Marion? Sa femme est à l'Opéra, elle est en train de chanter. Il regarde sa montre. 20 h 18. Elle est en scène depuis presque une heure. Le lundi, la représentation est à 19 h 30. Ce soir, c'est Bellini.

Marion va attendre.

Dora est partie avec un type en voiture. À moins que la voiture ne soit un code. Très bien. La seule information claire dans le fatras de la vieille femme, c'est que Dora est vivante. Qui est ce type? Un copain du lycée, un copain d'ailleurs? Les parents sont toujours les derniers informés, tout le monde le sait. Vous qui êtes psy, vous ne devez pas avoir de problèmes avec vos enfants, hein! Les autres parents d'élèves lui serinent cela à longueur de réunion au lycée ou au collège. Vous devez savoir dire ce qu'il faut, non? Tu parles, j'ai un gosse de douze ans prédélinquant et une gamine de quinze mêlée à un meurtre.

Il ne sait pas jurer en hongrois. Alors il répète bordel de merde, ce qui ne sert à rien.

Il sort de la cuisine. Dans le hall, de la Salle est en train de téléphoner, le manteau toujours sur les épaules. À côté de lui, la femme paraît monter la garde. Entre-temps, elle s'est habillée et coiffée. Il n'a plus rien à faire ici. Dora va s'en tirer, c'est sa fille, il la connaît. Elle est solide. Comme sa mère. Il regarde encore une fois sa montre. Marion a dû déjà chanter ses quelques mesures de solo, reprises ensuite par le chœur «*Il vicolo nero*», presque au milieu du premier acte. Juste avant le grand air de la basse. Marion chante bien. Elle a une voix chaude.

— ... au numéro 7. Oui. D'accord, on vous attend.

De la Salle raccroche le téléphone.

«... *Nero, nero, nero... Il vicolo neroooooooo...*», entend Lubba dans sa tête, chanté par un souffle de folie.

— La police arrive.

— Bien. Je m'en vais, annonce Lubba le plus dignement possible.

La panique vient de l'envahir, coup de vent brutal qui le fait trembler sur place au point qu'il doit tendre la main vers le porte-manteaux et s'y cramponner. Il faut qu'il foute le camp de cet endroit, qu'il retourne chez lui, qu'il remue le quartier, la ville, qu'il... qu'il... Il ne sait pas quoi. Il frissonne. La femme le regarde et baisse les yeux. Lubba a envie de pleurer. Il ne peut pas, c'est perdre son temps, il faut qu'il retrouve Dora, où es-tu, ma chérie? Cours, défends-toi, cache-toi. Je suis nul, j'aurais dû venir plus vite quand tu m'as appelé, pardonne-moi. Cette fois, il se met à pleurer pour de bon et il s'enfuit. En descendant les escaliers, il se dit soudain que Dora est rentrée à la maison, c'est impossible autrement, il se répète ça en boucle et il s'arrête de pleurer.

25

Ils sont place Bellecour, près du bassin. Penchés en avant face aux rafales de neige.

— Viens à la maison, supplie Dora que l'air froid vient de calmer.

— Non.

— Viens à la maison, s'il te plaît, tu n'as plus d'appartement, tu m'as dit.

— Non.

— Pourquoi ?

— Parce que.

— Tu as peur de mes parents ?

— C'est pas ça.

— Ils sont cool. Ils ne diront rien, tu verras.

— Sûrement. Mais je vais me débrouiller. Rentre chez toi. On se voit demain.

— Ma mère chante à l'Opéra, tu sais.

— Quoi ?

— C'est son métier. Elle chante dans le chœur.

— Ah.

— Oui. Elle rentre vers 22 heures. On a le temps.

Dora secoue sa capuche en fourrure igloo. Elle continue :

— Mon père doit être là-bas, maintenant, chez la grand-mère. Après, il va rentrer chez nous. Il va penser que j'ai réussi à partir et que je suis revenue à la maison.

— Je t'ai dit ce qui s'est passé dans la cuisine.

— Oui. Je ne veux plus en parler, ça me fait peur.

— Il faut en parler. Ton père va voir tout ça. Il va me poser des questions, je vais lui dire quoi ? Que je ne sais rien ?

— La vérité.

— J'ai peut-être tué Rumi ! Je ne peux pas lui dire ça. Il va appeler les flics. Et il aura bien raison.

— Il appellera personne. Et même, il connaît des avocats. Il est cool, tu verras.

— Je ne peux pas.

— Moi, il faut que je rentre, il faut que je voie mes parents. Et je ne veux pas te quitter, Benjamin.

— Tu as vu dans quel état je suis ?

— Je leur expliquerai.

— Tu leur expliqueras quoi ?

— Que tu m'as défendue contre ce type.

— Rumi.

— Tu m'as défendue, oui ou non ?

— Pas assez. Jamais j'aurais dû t'entraîner dans cette histoire.

— Je t'ai suivi. J'ai insisté, tu te souviens. Je suis aussi responsable que toi.

— On ne va pas passer la nuit place Bellecour. J'ai froid.

— Allez, viens, mon biquet, viens.

— Arrête avec le biquet.

— Je te jure que tu ressembles à un biquet quand tu te mets en colère.

Il ne répond pas et la prend dans ses bras. Nom de Dieu, qu'est-ce que c'est bon. Il donnerait sa vie immédiatement pour elle, sans hésitation, ce serait un plaisir si ça pouvait la rendre heureuse.

Soudain, il la repousse. Il la regarde intensément et il lui dit :

— Je t'aime.

Dora craque. Elle ne s'y attendait pas. Elle plonge contre le col de son Perfecto.

Le rêve peut continuer ?

Ils marchent maintenant, d'un seul mouvement. La vapeur de leurs bouches dessine presque un cœur devant eux, comme dans les dessins animés. Je sais, j'exagère.

C'est beau, le blanc immaculé de Bellecour. Lumineux.

Ils sont pratiquement les seuls à marcher sous la neige. Au loin, quelques silhouettes indistinctes traversent les flocons qui tombent de biais. Le vent s'est levé. Du nord, la bise souffle avec ses millions d'aiguilles, il commence à faire vraiment froid.

Les deux jeunes gens passent devant les cinémas. Continuent vers la place de la République. Les Lubba habitent au-dessus d'un magasin de jeans, en face du Printemps.

On peut le voir comme ça : un qui va avoir de la chance, c'est Rumi. Il a pris la rue de la Charité. Une impulsion, il n'a pas choisi, en fait. Ses pieds l'ont mené. C'est fou le nombre de fois qu'il est mené par ses pieds, ce crétin.

Il est passé ensuite en trottinant devant l'Hôtel Excelsior, cinq étoiles. Plus loin, deux personnes attendent le bus, frigorifiées derrière la vitre de l'abri.

Rumi tourne la tête et arrive devant la grande roue, l'attraction de Noël. Elle est montée place Antonin-Poncet cette année, illuminée de guirlandes, mais elle ne fonctionne pas ce soir à cause des intempéries. La structure métallique a quelque chose de féerique au milieu des tourbillons de neige. Quelques jeunes en capuche et Air Max battent la semelle en fumant. On se demande ce qu'ils attendent.

Rumi passe au large, on ne sait jamais, et il monte sur le trottoir. Toujours penché en avant, la main sur le ventre, il essaie de courir un peu. Il a fait une dizaine de mètres quand il s'arrête et se jette contre une porte cochère. Loin, au croisement de la rue de la Barre à cent mètres de lui, bien visible dans les lumières du McDo, un couple traverse en diagonale. Il n'en croit pas ses yeux. Ben. Il le reconnaît à son blouson et à la fille qu'il tient par l'épaule. La fille à la parka chicos.

Rumi reste où il est. Il sait que, lorsqu'on observe quelqu'un, il se sent observé et il se retourne. Alors il essaie de se faire tout petit, de disparaître. Il longe l'immeuble. Il n'a mal nulle part, maintenant, il se sent en pleine forme. Le sang qui coule de son ventre ne coule plus. C'est miraculeux. Aïe, fait-il tout de même en se redressant.

26

Dora a préparé sa clé en passant devant le kiosque du fleuriste place de la République. Elle la tient devant elle comme une baguette de sourcier.

Lubba avait raison, l'immeuble dans lequel ils vivent ressemble beaucoup à celui de la rue d'Auvergne. Il est peut-être plus récent, mais il présente les mêmes caractéristiques de qualité. Bourgeois, nantis et compagnie. Dans l'immeuble, entre autres, il y a un dentiste, deux avocats, un dermatologue et un cabinet d'architecte. Au premier étage, Wedding.exe, une vieille agence matrimoniale relookée depuis le changement de propriétaire. Les seules choses qui ont changé, ce sont les prix, multipliés par trois, et l'adoption de la langue anglaise. Tu parles.

Les jeunes gens pénètrent dans l'appartement. Il persiste une vague odeur de cigare qui dispute son influence à celle d'un déodorisant pinède et mimosa. L'appartement est dans le noir, mais une musique, si on peut appeler cela de la musique, dirait la chanteuse, envahit tout. Cypress Hill, avec ses rythmiques profondes et ses samples angoissants, Dora reconnaît. Tout au fond du couloir, une lumière tire un trait sous une porte. La musique vient de là.

— C'est Hans, mon petit frère. Il aime beaucoup le rap.

— Ah, fait Ben.

— Il a douze ans. Viens.

— Si tu veux.

Dora allume et s'avance. Au bout, elle frappe.

— Vouais ! fait une voix malmenée par la puberté.

— C'est moi, dit Dora.

— Dégage. Fais pas chier.

— Je voudrais te présenter quelqu'un.

— Rien à battre, tire-toi.

Ben n'apprécie pas. Il ouvre la porte et entre. Il y a un nuage de fumée malgré la fenêtre ouverte. Hans est devant son ordinateur en train de tchatter ou pire, des images défilent sur le dix-sept pouces, syncopées et explosives. Les enceintes crachent. Le gamin se retourne.

— T'es qui ?

— T'as vu comment tu parles à ta sœur, espèce de merdeux ? Tu lui fais des excuses immédiatement ou je t'apprends la vie.

Hans n'est pas idiot. Il a vite réalisé la différence de taille entre Ben et lui. Sans parler de son blouson de canaille et du sang sur sa tronche. Il ne fait pas le poids malgré son pull trois tailles au-dessus et sa gouffa à l'anglaise. Waouh, elle l'a pécho où, ce mec ?

Dora a contourné Ben.

— Skuz, fait Hans.

— C'est Ben. Benjamin.

— Salut.

— Papa n'est pas encore rentré ?

La réponse est non. Tabac plus musique à donf, Jan Lubba n'est pas là.

— Non.

— On va au salon. Baisse ta musique, s'il te plaît.

— Si je veux.

— Ta sœur t'a demandé gentiment de baisser ta musique, dit Ben.

Un clic de souris et les rappeurs s'éloignent un peu.

— Merci.

Ils referment la porte.

On entend encore une ou deux grossièretés, mais Ben ne se retourne pas.

L'éclairage indirect est sympa, le salon est couvert de tapis. Des fauteuils en cuir un peu avachis, un canapé dépareillé. Une petite télé dans un coin sur un tabouret, des bouquins dans tous les sens dans la bibliothèque, en piles par terre, et un piano à queue le long d'une porte-fenêtre qui donne sur un balcon.

— C'est bien, chez toi, dit Ben.

— Oui.

— Je voudrais me laver un peu, c'est possible ?

Là, dans son monde habituel, Dora se sent en sécurité. Elle retrouve ses anciens réflexes de jeune fille bien élevée.

— Je te montre. Tu veux manger quelque chose ?

Ben se rend compte qu'il a faim.

— Je veux bien.

— Une pizza surgelée, ça te va ?

— Super. Chaude, alors ?

Tout cela est un peu décalé, mais ils ne s'en rendent pas compte. Oublier, déjà ? Après ce qu'on vient de vivre, on s'échange des banalités, des petits riens.

Dora le mène à la salle de bains familiale. Immense, carrelée du sol au plafond, une baignoire 1900 ventrue et jaunie par le temps, une douche et un lavabo avec d'énormes robinets d'époque, une glace ancienne. Quand on est à l'intérieur, le moindre bruit résonne. Il fait chaud. Elle lui tend une serviette et un gant qu'elle a pris en passant dans un placard.

Ben est intimidé. Il se tient gauchement, malaxant la serviette. Il attend que Dora le laisse. Elle s'approche de lui et l'embrasse doucement. Il se regarde dans le miroir. Les cheveux mouillés, la mèche pendante, le visage peint en rouge sale.

— Une gravure de mode, dit-il.

— Exactement, répond Dora sans sourire en quittant la salle de bains.

Médaille d'argent à l'arrivée, Rumi, la main plaquée sur le ventre.

Pour l'instant il se tient contre la vitrine du Printemps, en face de chez les Lubba, dans l'ombre et les rafales de neige qui viennent du nord, de la place de la Comédie. Il temporise, il souffle avant de se décider. Au moment où il s'apprête à traverser la rue, une ombre voûtée arrive en courant et s'arrête en dérapant devant l'immeuble. Un mouvement de poignet évoquant le maniement d'une clé, ce type habite là. Du coup Rumi fait trois pas en arrière. Maudit le sale temps et le reste du monde. Il se les gèle dans ses fringues de minable. Il a mal, ça saigne encore. Qu'est-ce qu'il fout là au lieu d'aller à l'hôpital, je ne sais pas, moi. Non. Inutile d'insister. Il sait ce qu'il a à faire et il va le faire.

Pendant ce temps, les flics sont arrivés rue d'Auvergne. Un fourgon et une voiture banalisée. Un officier de police judiciaire sort de la voiture. Lieutenant Pic. Trente-cinq ans. Tonsure grise, visage émacié par la course à pied. Un fêlé du marathon, meilleur temps, 2 h 48, son objectif : descendre en dessous de 2 h 40. On peut se tromper sur l'apparence, mais ce n'est probablement pas le genre de gars à rigoler tous les jours. Enfin, son métier ne s'y prête pas non plus.

Ce soir, par exemple, il faisait la permanence avec Poinaud. Mais Poinaud vient de se faire porter pâle. «J'ai une angine, putain, je peux à peine avaler ma salive. J'ai au moins quarante de fièvre. Je reste ici, d'ac ? Si tu as besoin, tu m'appelles, je viens.» Alors, seul, la nuit, sous la neige, Pic râle. Il est entré dans une salade dont il ne sortira pas avant demain midi, à tous les coups.

Un type en pardessus pied-de-poule les attend en bas.

— De la Salle, se présente-t-il aux deux bleus qui sont là. Le troisième est resté au volant. Il écoute radio flic et fume.

— C'est moi qui vous ai appelés.

— Lieutenant Pic, dit Pic, sans présenter les bleus.

Il se tourne vers le brigadier.

— Tu installes quelqu'un à la porte, à l'intérieur. Personne ne sort. Si quelqu'un entre, tu prends son nom et il ne ressort pas, d'accord ?

— Oui.

Le brigadier Memouni le suit. L'autre bleu a compris la mission. Il ferme son blouson et remet sa casquette.

Dans l'ascenseur, l'homme au manteau appuie sur le trois.

— Il y a quoi au premier et au deuxième ?

— Rien, une entreprise de gestion de patrimoine. Défiscalisation.

— Rien, ça veut dire qu'il n'y a personne la nuit ?

— Exactement.

Ernest n'en peut plus. La soirée avec Isabelle tourne en eau de boudin. Déjà, avec sa fuite de gaz. Les gens sont cinglés. La vieille et son cadavre. Et le type, le thérapeute, le père soi-disant. Il ne se souvient plus de son nom, un nom étranger.

— Vous voulez voir Mme Kennedy, d'abord – c'est la grand-mère – ou le corps ?

— J'ai le choix ? murmure Pic. C'est sympa. Alors, je prends citron cassis. Je rigole. Montrez-moi le corps, à moins qu'elle ne foute le camp ?

— Pas de risque. C'est au quatrième.

— Allons-y.

La porte est toujours ouverte.

— Qui a laissé la porte ouverte ? C'est la propriétaire ?

— Non, c'est nous.

— Qui ça, nous ?

— Le monsieur et moi.

— Quel monsieur ?

— Je vous l'ai dit au téléphone. J'ai oublié son nom. Un thérapeute. Il m'a dit qu'il était thérapeute.

— Un thérapeute, voyez-vous ça. Qu'est-ce qu'il faisait ici, des thérapies à domicile ?

— Non. Sa fille. Il cherchait sa fille. Elle l'avait appelé à l'aide.

— Sa fille. Bien. On avance. Vous l'avez vue, cette fille ?

— Non. C'est ce qu'il nous a dit, à Isabelle et à moi. Isabelle, c'est mon amie. (Il rougit.) Isabelle Vital-Ronget. C'est une femme très réservée, si cela pouvait ne pas s'ébruiter...

— Vous êtes marié ?

— Non. Veuf.

— Et elle, elle est mariée ?

— Non plus.

— Alors où est le problème ?

— Je ne sais pas. L'habitude.

Pic se penche et avise une paire de chaussures qui traîne à côté du paillasson.

— C'est quoi ?

— C'est pour le golf.

— J'avais deviné, dit Pic. Elles sont à qui, je veux dire ?

— Je n'en sais rien.

— Je vois. On entre. Restez derrière nous. Tu viens, Hassan ? .

Le spectacle de désolation dans le salon.

— On s'est battu, ici.

— Ça a pas mal picolé aussi, regarde les bouteilles, dit le brigadier.

— Le corps est dans la cuisine, dit de la Salle.

— On visite d'abord. Donc, là, c'est le salon et la salle à manger. Putain, y a de l'espace, c'est pas comme chez moi, fait Pic. Beuverie et bagarre pour commencer. Hassan, appelle l'identité judiciaire et le légiste.

Il fait un pas vers la desserte.

— Quelqu'un a oublié son chapeau ?

Personne ne répond.

— Curieux, un chapeau blanc, en plein hiver. Hassan, tu as un sac, pour le laboratoire ?

— Oui.

De la Salle continue, il a l'air pressé :

— Ensuite, il y a le couloir de la cuisine et l'autre. Je ne sais pas ce qu'il dessert, les chambres sûrement, dit-il.

— Allons jeter un œil. Vous restez là, dit-il au vieux postier.

Les chambres d'abord, puis celle de Francine Kennedy. Pic enfile une paire de gants en plastique.

Il s'est penché, il a vu les manteaux déplacés, le trou dans le parquet. Lui aussi a pensé cachette. Il a ouvert la boîte.

— Nom de Dieu, les économies de la mémé !

— Apparemment, dit le brigadier Memouni qui referme son portable. Les gars du labo arrivent dans un quart d'heure, c'est le calme plat, chez eux.

— Ils ont bien de la chance. Ça va les occuper, ici. Parfait. Le vol est peut-être à l'origine de tout ce micmac. Empreintes là-dessus. En tout cas, c'est une vraie chambre de grand-mère. Friquée, en plus. (Il fait demi-tour.) Allez, on retourne à la cuisine, maintenant.

Un cadavre de femme dans une mare de sang. La femme est pieds nus. Golf ?

Pic se penche, vérifie qu'elle est bien morte. Observe vite, enregistre. Une tuerie. Au couteau. Une grosse lame. Le couteau à découper qui est par terre ? Probable.

Maintenant de la Salle paraît remis de ses émotions.

— Inspecteur, il faut que je vous prévienne, dit-il du vestibule. C'est moi qui ai vomi quand nous avons découvert ça, dit-il.

— Lieutenant, on ne dit plus inspecteur. Secoué, hein ?

— Oui.

— Je comprends. Quand vous dites « nous », c'est toujours le monsieur et vous, nous sommes bien d'accord ?

— Oui. On s'est retrouvés devant la porte et on est entrés ensemble.

— Regarde, Pic, dit le brigadier, on dirait que quelqu'un a plongé tout habillé dans le sang et qu'il s'est traîné par là.

— Bravo. Toi, tu vas réussir ton concours d'OPJ. Tous un pas en arrière, on est en train de tout piétiner. Hassan, tu restes là et tu attends le labo. Oublie pas le chapeau. (Un chapeau blanc, nom de Dieu... murmura-t-il.)

Dans le couloir, Pic parle dans son portable :

« 21 h 30. Cuisine. Corps de femme. Cinquantaine. Encore chaud, décès : deux heures maxi. Couteau de boucher trouvé à côté du corps. Traces sanglantes d'un second corps que personne n'a vu. Le meurtrier ? Blessé aussi ? Il y a beaucoup de sang pour un seul corps. Des signes d'agitation dans la cuisine, chaises déplacées, papiers par terre, cf. photo. Chambre de la propriétaire, Francine Kennedy, quatre-vingts ans, absente des lieux, une cache dans le parquet, une boîte en fer pleine de billets de cinq cents euros neufs. Tentative de vol ?

» Témoins ou suspects : Francine Kennedy. Une jeune fille, fille d'un soi-disant thérapeute. Le psy lui-même qui aurait dit à Ernest de la Salle être venu la chercher. De la Salle, voisin de l'étage en dessous (vomissements dans le couloir de la cuisine). Découvert le corps tous les deux. Et probablement d'autres personnes.

» Traces de beuverie et de bagarre dans le salon. Pour la technique : empreintes partout, cuisine, chambre du fond, salon, débris de verre, groupes sanguins. Fichier. Tout. Chapeau. »

Il réfléchit vite sur l'opportunité d'organiser une chasse à l'homme dans le quartier. Puis il se dit que, avec cette neige, cela ne servira à rien. Le boulot de flic est difficile, pense-t-il, en appelant son collègue Poinaud qui tousse toujours et qui lui dit : «Bon courage, Pic.» Salaud.

27

Où sont-ils ? Il n'en sait rien.

Il marche dans un océan de verdure maintenant. L'air est sec, un léger vent agite les cheveux de Maricé. De temps en temps, ils lui caressent la joue et il trouve cela très agréable.

Mais il a de plus en plus de difficultés à avancer. Il n'a plus de force.

Il est vieux.

Il est mort.

De temps en temps il s'arrête pour reprendre son souffle et il en profite pour admirer son visage. Elle est belle, ses traits sont détendus, elle a l'air de dormir paisiblement. En toute confiance. Il lui vient un élan de tendresse dont il se sent un peu coupable. Tu as honte de ce que tu ressens, Siggy ? Mais non ! Je n'ai pas l'habitude, c'est tout. Un élan de tendresse, oui... De tendresse... Ce petit mot virevolte dans sa mémoire et vient se poser sur un vieux souvenir. Peu de temps après leur rencontre, Martha et lui étaient allés pique-niquer au Prater. C'était l'été, il faisait chaud. Ils s'étaient réfugiés sous un arbre où l'herbe était plus fraîche. Là, au milieu des cris d'enfants, bercée par les vibrations de l'air, Martha s'était endormie contre son épaule. De temps en temps ses cheveux voletaient contre sa joue. Un instant, comme une lame de fond, il s'en souvient, le sentiment d'être éperdument amoureux de cette femme l'avait traversé et l'avait ému comme il ne l'avait jamais été auparavant.

Il repart, laissant les larmes couler sur ses joues. Et pourquoi pas, il se dit.

Ben s'est précipité sous la douche. Il a trouvé un transistor et il écoute une émission littéraire. Il n'a pas osé changer de station. Finalement, il récupère vite. Il regarde autour de lui. Cela lui paraît complètement irréel, se retrouver ici, dans cette salle de bains... S'il avait pu imaginer ça en quittant les Marthelin ce matin. Puis il pense aux parents de Dora. L'eau devient froide, d'un seul coup, ils vont bientôt rentrer. Qu'est-ce qu'il va leur dire ? Ben frissonne, il est glacé, il redevient le fils de rien qu'il était ce matin.

— Bonsoir, tout le monde ! a crié Jan Lubba en quittant son anorak.

Il vient de voir la parka de sa fille accrochée à une patère. C'est sa phrase habituelle lorsqu'il arrive chez lui. En général, au moins quatre soirs par semaine, seuls ses enfants sont là. Qui ne répondent d'ailleurs jamais. Mais, ce soir, ces quatre mots prennent tout leur sens, il sourit en les prononçant. Au diable ce qu'il a vu là-bas, Dora est rentrée.

Elle le guettait. Sa fille se précipite dans ses bras après une glissade en chaussettes sur le parquet.

— Oh, papa ! soupire-t-elle, et elle fond en larmes.

— Je suis là, ma belle, je suis là, tu n'as plus rien à craindre.

— J'ai eu si peur.

— Calme-toi. Tu vas me raconter tranquillement ce qui t'est arrivé.

— Je n'ai rien fait de mal, je te promets.

— Je sais, ma chérie. Je sais.

Elle pleure encore, mais elle se sent mieux.

— Il faut que je te dise... Heu... Voilà... Tu as faim ?

— Un peu.

— J'ai fait chauffer des pizzas.

L'idée de manger calme aussi son père.

— Ton frère est là ?

— Oui. Toujours aussi mal luné.

— Ça lui passera.

— Il faut que je te dise...

— Allons au salon. Je vais d'abord me prendre un verre. J'ai les pieds gelés.

Lubba enlève ses chaussures trempées.

— Mes vieilles Nike ! soupire-t-il.

Il a bien perçu la gêne de sa fille. Il suppose que ce qu'il va entendre va être difficile à accepter. Déjà ce qu'il a vu là-bas l'a bouleversé. Il n'imagine pas sa fille impliquée dans l'histoire du cadavre, elle est incapable de faire un truc pareil. Mais, tout de même, que faisait-elle chez cette grand-mère ? Maintenant, il s'agit de la mettre en confiance, et lui d'assurer. Il se demande comment il va faire.

Un whisky, double dose. Les coussins du canapé s'affaissent lentement. Lubba allume un petit cigare. Ses mains tremblent. Dans un coin de la pièce, presque caché derrière une plante verte, il y a un dessin à la plume signé George T. Keller, vieux psychanalyste anglais, montrant Freud en train de fumer un cigare. C'est un cadeau de sa femme chiné à Portobello Road. Jan y jette un coup d'œil machinal. Freud n'est plus son idole depuis longtemps, mais le regard du premier maître n'est jamais bien loin de lui.

Dora est allée dans la cuisine. Elle revient avec une canette de Coca et s'installe dans un fauteuil. Au même moment apparaît une tornade ébouriffée. Hans.

— Salut, pa !

Il essaie de prendre une grosse voix, mais il est trahi par ses chaussons de la Panthère rose.

— Bonsoir, mon grand. Viens embrasser ton père dont la journée a été rude.

— On mange bientôt ?

— Pizza, salade. Vingt minutes, répond Dora.

— Pas trop tôt, j'ai un contrôle demain.

Il embrasse son père négligemment et retourne dans sa chambre. Puis une porte claque.

— Bon, Dora, tu as quelque chose à me dire.

— Enfin... Oui.

Visage désespéré. Elle est incapable d'ouvrir la bouche.

— Alors, c'est moi qui vais commencer, dit son père. Je suis allé rue d'Auvergne.

— Oui...

— Tu aurais dû m'attendre.

Silence. Puis elle souffle :

— Je n'ai pas pu.

— Je te considère comme une grande fille.

— Je sais.

— Je suppose que ce que tu faisais là-bas était important pour toi.

Dora baisse la tête, elle ne sait pas quoi répondre. Son père pose des questions qui n'ont l'air de rien mais qui font mouche à tous les coups.

— J'étais avec un garçon, murmure-t-elle en baissant encore plus la tête.

Lubba tire sur son cigare, boit une gorgée d'alcool et attend que les battements de son cœur se calment. Un garçon. Un truand, un assassin, probablement ?

Ben n'osait pas faire un pas de plus, il attendait dans le couloir.

Il se décide et pousse la porte du salon.

— Bonsoir, monsieur. Tout ce qui est arrivé est entièrement ma faute. Je m'appelle Benjamin Trep.

Un grand gars, le corps enroulé dans une serviette de bain. On dirait un gamin avec ses cheveux tirés en arrière. Il a le regard paniqué de celui qui vient de faire une énorme bêtise.

— Bonsoir, mon garçon. J'imagine que vous êtes le jeune homme auquel ma fille vient de faire allusion.

— Oui.

— On se connaît depuis septembre, précise Dora, histoire d'aggraver son cas.

Nouvelle gorgée décontractée. Tout est dans l'apparence.

— Bien, reprend Lubba. On doit faire vite. Rue d'Auvergne, qui a fait quoi, exactement ? Je vous demande cela parce que la police ne va sûrement pas tarder à sonner. J'ai donné mon nom à quelqu'un là-bas. Avant de parler avec les flics, j'aimerais bien être informé de tout. Pour éviter de passer pour un crétin d'abord, et ensuite pour éventuellement préparer une défense, vous voyez ce que je veux dire, jeune homme. Ma fille est mineure et je suis responsable d'elle.

Lubba marque un temps. Reboit une gorgée, tire sur son cigare.

Puis il dit, la voix cette fois tendue :

— J'ai l'air calme comme cela, mais ne vous y fiez pas. Je suis au bord de quelque chose de très pénible et de dangereux. Cela s'appelle une explosion émotionnelle. Je suis vraiment très inquiet, voyez-vous. Presque paniqué, je cache mon jeu mais j'ai la trouille. Une trouille énorme de ce qui va arriver à ma fille. Voilà. Et je ne peux pas parler avec quelqu'un que je ne connais pas, qui est mêlé à un meurtre et qui se trouve chez moi, seulement vêtu d'une serviette de bain. Filez vous habiller et revenez ici.

— Oui. Mais justement...

— Ses affaires sont sales, dit Dora. Tu peux lui prêter quelque chose ?

— Et des chaussures, s'il vous plaît.

— Et des chaussettes, ricane Lubba, et un caleçon tant que vous y êtes. Mon cher Benjamin, vous commencez votre carrière chez les Lubba avec une audace qui pourrait être touchante si elle n'était pas si insolente.

— C'est moi qui insiste, fait Dora.

— Alors si c'est toi, je ne peux rien dire. Dépêchez-vous. Dora, tu reviens ici.

Lubba hoche la tête. Il jette un coup d'œil à sa montre. Fin du deuxième acte, presque. Dernier tableau. Marion est habillée en paysanne, comme tout le chœur. Le prince et la bergère, version Bellini. Elle ne chantera pas avant le milieu du troisième acte où elle a encore un petit solo, «*La casa dell' padre*». C'est de circonstance. Prends ton temps, ma chérie, je m'occupe de tout.

Lubba était obnubilé par l'anorexie et voilà que Dora a choisi autre chose. L'adolescence a cette faculté de nous emmener là où on ne le prévoyait pas. En prison, peut-être. En pensant à sa fille en prison, Lubba est terrassé. Tout psy qu'il est, un étau lui comprime la poitrine. Il avale le fond de son verre et s'en ressert un autre. Putain de bordel de merde.

Dans la rue, Rumi est en train de geler sur place. Il les a vus entrer ici. Ils sont ici. Il a regardé dix fois les noms de l'Interphone. Il y a un paquet de plaques. L'immeuble est balaise. Où sonner ? La douleur et le froid l'ont un peu dégrisé. Il va se faire ramasser s'il reste là trop longtemps, il sait que les flics patrouillent beaucoup par ici, même sous la neige. Le McDo est ouvert, rue de la République, il se boirait bien une mousse ou deux pour se réchauffer. Son allure a l'air correcte. Il est trempé, mais le sang ne se voit plus. D'ailleurs, ça s'est arrêté de saigner. Et puis il s'en fout. Il se fouille machinalement pour s'assurer qu'il a de l'argent. *Niet.* Merde, rien du tout. Plus de portefeuille. Juste ses clés. Quel est le salaud qui lui a fait les poches ? Ben, ce salopard de Ben ? Je vais le crever, je vais le crever.

À cinquante mètres de là, une voiture de police maraude au ralenti rue Ferrandière, patine en montant sur le trottoir. Je te l'avais dit, ils sont partout. Bouge, gars, va faire un tour, calme-toi. Tu vas trouver une idée, t'es pas plus con qu'un autre. Là encore, il se trompe.

En fait, son portefeuille, il l'a simplement oublié chez lui.

28

Au troisième, rue d'Auvergne, tout se passe dans la cuisine. Dans cet immeuble, c'est devenu une tradition. Le puzzle des crustacés a été rangé, les amusements, c'est terminé. Ernest et Isabelle sont redevenus un homme et une femme du deuxième arrondissement, les mollets poilus et les petits seins agités ont disparu. En descendant, Ernest de la Salle a tout expliqué une nouvelle fois à Pic : la sonnette, la grand-mère, son délire, le vol, tout ça, le besoin de couteau, le fameux sauveur. Le psy, tout. Pic a fait oui oui de la tête et n'a toujours rien compris.

Le lieutenant s'est assis en bout de table, face à la fenêtre. Il neige toujours.

À sa gauche, Ernest et Isabelle, main dans la main. À droite, isolée comme dans un prétoire, Francine Kennedy qui a demandé du thé et ôté son manteau.

Après la version dictaphone, Pic écrit dans son carnet depuis cinq minutes. Un truc pour intimider les témoins. C'est long, cinq minutes de silence. Pour les innocents comme pour les coupables. Dans cette pièce, il n'y a qu'une coupable. Quoique les deux autres, avec leurs simagrées autour de leurs activités sexuelles, on se demande ce qu'ils cachent.

Pic a aussi passé plusieurs coups de téléphone. Puis le brigadier l'a appelé, les gars du labo sont arrivés. Il s'est arrêté d'écrire.

Les bruits de voix n'ont pas réveillé les Boussac père et fille. Et pourtant les trois membres de la police scientifique montent à pied, tranquillement, leur matériel a pris l'ascenseur. Ils font du bruit, ils sont bavards, et ils ont de quoi parler. Hier soir l'Olympique Lyonnais a gagné deux-zéro à l'extérieur. Leur mépris pour le club vaincu est tel qu'ils ne le citent même pas. Et puis on aborde rapidement les trois explosions à Bagdad, ils sont tous fêlés, un nouvel enlèvement au Tchad, pense à nos militaires, Paulo, ils en bavent, ouais... Un autre évoque en soufflant le long chemin de croix d'un acteur célèbre qui vient de publier un livre sur ses addictions. Rien à cirer, dit le plus gros, c'est un pochtron de plus, j'en connais plein qui le sont et qui la ramènent pas. Le premier (un ancien littéraire qui s'appelle Dany) s'amuse en virant autour de la rampe, vous avez vu les deux candidats des sondages, même âge, mêmes crocs qui rayent tout sur leur passage et qui interdisent tout baiser sérieux. Marrant, ça, l'image ! dit le sportif en ajoutant, quand on y pense, tu ne trouves pas curieux qu'il n'y ait plus de prolos chez les ténors du PS ? Même pas un malheureux prof ? T'as raison, il n'y en a plus, répond Dany en arrivant au quatrième, le peuple aime trop les riches pour mieux les haïr ensuite et mieux leur couper la tête... De vrais philosophes, mine de rien.

Quant à Etienne, *sex and drugs and rock and roll.* Défoncé, à poil, il dort dans son grenier. Il ne manque que le rock and roll.

Francine garde les yeux clos.

— Nous allons commencer, dit Pic en fermant son carnet.

Les deux amoureux hochent la tête.

Puis le flic se tourne vers Isabelle et l'invite à parler d'un haussement de sourcils. Elle était prête, elle est toujours prête à témoigner, Isabelle. Elle commence par lui expliquer le changement de programme d'aujourd'hui. (Trois ans d'amour caché, dans une semaine exactement, précise-t-elle, et Ernest sourit.)

— Une fuite de gaz chez moi ! Je leur ai dit que non, ça

ne sentait rien du tout, ils ont quand même tout mis en l'air, les dépanneurs. Ça m'a déprimée, alors je suis venue ici.

— Tu as bien fait, dit Ernest en lui tapotant la main.

Puis les homards, le champagne, tout ça. Elle a vu le thérapeute. Selon elle, il avait bien une tête de thérapeute.

— Ça veut dire quoi, une tête de thérapeute ? demande Pic.

— Oh, rien, sérieux, maigre, les cheveux un peu longs, gris, les yeux bleus, un regard vif, intelligent, quoi.

D'ailleurs elle en connaît plusieurs dans le quartier, certains amènent leurs enfants à la catéchèse, ils ont tous le même look un peu triste.

— Voilà, conclut-elle.

— Vous avez son nom ?

— Lubba, dit Ernest.

— C'est ça. Lubba.

Pic note.

— Bien. Vous étiez là quand il a parlé avec madame ?

— Oui. Juste derrière lui.

Francine met son grain de sel, l'index pointé comme le canon d'un revolver.

— Je vous ai vue, allez, vous avez essayé de vous cacher, mais je vous ai bien vue.

— Continuez, mademoiselle.

— Eh bien, ce monsieur cherchait sa fille qui devait se trouver chez madame.

— Certainement pas, dit la vieille femme.

— Vous l'avez vue, cette fille ?

Les deux font non de la tête.

— Et madame a parlé du couteau, et elle a dit qu'elle s'en était servi, conclut Isabelle.

— Tout le monde se sert d'un couteau, il n'y a rien d'extraordinaire à cela, dit Francine.

— Il y a différents usages du couteau, madame. Celui qui m'intéresse est plutôt meurtrier.

— Cela ne me concerne pas.

— Très bien. Madame Kennedy, à nous maintenant. Vu votre âge, je préfère vous entendre ici, mais si notre entretien se déroulait mal, nous le poursuivrions au commissariat. C'est compris ?

Francine ouvre les yeux.

— Ne pensez pas une seconde m'intimider, jeune homme.

— Je ne cherche pas à vous intimider, madame Kennedy. Je suis là pour entendre la vérité sur ce qui s'est passé dans votre cuisine.

— Il ne s'est rien passé.

— On vous a volée, madame Kennedy, dit Ernest, rappelez-vous.

— C'est moi qui pose les questions, on est d'accord ? dit Pic en songeant tout à coup qu'il est en train d'interroger un suspect en présence de témoins.

Ça donnera du grain dans le dossier pour la cassation. Il se répond que c'est pour débrouiller l'affaire. Avec les témoignages qu'il a, elle est déjà bien avancée, l'affaire. Alors je m'en fous, on n'en est pas encore là.

— Bon, parlez-moi de ce vol, madame Kennedy.

— Quel vol ?

Pic se rend compte qu'il risque de perdre son temps. Il a deux solutions. Soit attaquer bille en tête, et là il pense à sa propre grand-mère, ça le fait presque se sentir coupable. Soit choisir la ruse, mais il n'aime pas l'idée de mentir à une vieille femme qui pourrait être sa grand-mère. Un compliqué, ce Pic. Il se lève, il vient d'avoir une idée. Au point où on en est. Il prend son portable. Parle dix secondes et revient s'asseoir.

Il a finalement choisi la ruse.

— Madame Kennedy, on a retrouvé votre boîte. Votre argent se trouve dedans.

Tu parles d'une ruse.

— Bien entendu, je le savais, répond-elle. Je pensais avoir été volée mais je m'étais trompée. J'ai tout de suite vérifié.

— Nous allons le conserver quelque temps pour examen, il faudra d'ailleurs nous préciser comment vous êtes entrée en possession d'une telle somme, et ensuite nous vous le restituerons.

— C'est Oscar qui me l'a donné. Juste avant de mourir.

— Qui est Oscar ?

— Mon mari, monsieur. Il est mort en juin 74.

Oh, des billets de cinq cents euros tout neufs, en 74 ?

— Très bien. Nous verrons cela plus tard. Je continue. Vous me disiez que vous aviez vérifié si votre argent se trouvait toujours dans sa cachette. Après le drame, bien sûr ?

— Quelle cachette ?

— Sous le parquet, dans votre penderie.

— Vous appelez cela une cachette ? Au vu et au su du premier voleur venu ? J'ai été volée par ruse, ne l'oubliez pas. Aucune cachette n'aurait résisté. Le commissaire me l'a dit. Ils étaient plusieurs.

— Quel commissaire ?

— Il n'a pas voulu me donner son identité. C'est un homme qui n'intervient que dans les cas graves. Comme le mien.

— Je vois. Donc, ils étaient plusieurs pour vous voler, c'est bien ça ?

Mme Kennedy ne prend pas le temps de réfléchir.

— Un jeune homme.

— Vous connaissez son nom ?

— La jeune fille l'appelait Ben.

— Bien. Vous pouvez le décrire ?

— Assez grand, blond châtain clair, un blouson de cuir, des bottes, un visage assez agréable, pas comme l'autre, celui qui avait des tresses dans les cheveux et plein de boutons.

Un nouveau participant à la fête, se dit Pic en notant les détails.

— Il avait un nom, celui-là ?

— Je ne l'ai pas su.

— Et elle, comment s'appelait-elle ?

— Je ne me souviens plus. Un prénom peu courant, je crois. Une toute jeune fille. Charmante, blonde, un visage d'ange mais une duplicité que j'ai tout de suite percée à jour.

La fille du thérapeute ? Probable. On avance.

Putain, elle est folle ou pas ? Elle n'a pas l'air. C'est moi, le timbré. Un coup d'œil à Ernest lui confirme ce qu'il pense. Le vieil homme a la bouche ouverte. Captivé et interdit.

— Vous étiez où quand tout cela a commencé, madame Kennedy ?

— Dans la cuisine. J'écoutais une émission sur France Musique.

— France Musique.

— Parce que je ne sais pas régler mon poste. Si quelqu'un pouvait m'aider...

— Donc vous étiez dans la cuisine. Que s'est-il passé ensuite ?

— Je ne me souviens plus.

— Faites un petit effort.

— Je perds la mémoire, c'est tout. À mon âge, c'est naturel, vous ne le savez pas ?

Pic se tortille sur sa chaise.

— Si, si. Et cette femme blonde, qui est-ce ?

— Je ne vois pas.

— Celle qui est étendue sur le carrelage de votre cuisine.

Francine n'a pas bronché.

— Une femme, dites-vous ? Comme c'est curieux...

— Qu'est-ce qui est curieux ?

— Oh, rien. Une idée en passant.

— Quelle idée ?

Le regard de la vieille femme parcourt le plafond de la cuisine avant de revenir se poser sur le nez du lieutenant.

— C'était le chef de cette bande, n'est-ce pas ? La bande qui m'a volée. Le commissaire me l'a dit quand il m'a téléphoné. Il devait monter me secourir. Je l'attendais. Il n'est pas venu. C'est étrange, ne trouvez-vous pas ? Peut-être était-il de mèche avec eux... En tout cas, cette femme m'a aussi volé ma loterie, j'en suis persuadée. Elle doit être loin, maintenant. À l'étranger, probablement. Parce que j'ai aussi gagné à la loterie. Je veux dire, au Loto. Vous ne le saviez pas ?

Pic est accablé.

— Elle est morte, madame Kennedy. Elle a été tuée d'un coup de couteau.

— Morte ? Mon Dieu ! Mais qu'est-ce que vous racontez !

Elle se fout de moi, pense Pic.

La grand-mère fixe le four. Puis elle hoche rapidement la tête comme si elle répondait à quelqu'un. Soupire.

— Elle est morte. Elle est allongée dans votre cuisine.

— Cessez de dire n'importe quoi.

— Entre la table et l'évier, madame Kennedy. Il y a plein de sang...

— Vous inventez au fur et à mesure.

Pic a envie de prendre la vieille par la main et de l'accompagner chez elle, de lui faire toucher du doigt le cadavre, nom de Dieu. Et puis il se dit qu'elle pourrait avoir un choc et tomber raide. Quand je pense qu'elle a confié à un psy (il faut le choper, celui-là, thérapeute de mes deux) qu'elle s'était servie d'un couteau ! Oui, mais elle est âgée... On dérape, on dérape.

Soudain on sonne.

Ernest va ouvrir.

— C'est un policier du laboratoire, dit-il en le précédant.

— Salut, Dany, dit Pic. Ça marche là-haut ?

— Oui.

— Je t'ai appelé pour que tu me rendes un petit service. Tu peux prendre les empreintes de ce petit monde, s'il te plaît ? Pour faire une comparaison immédiate, histoire de débrouiller le terrain.

— OK.

Scotch spécial, préparation, poudre extra-fine, photo numérique. Comme dans les séries américaines. C'est l'affaire de cinq minutes.

— On refera tout dans nos locaux. Pour le dossier.

— Est-ce bien légal, tout ça ? hasarde de la Salle.

— Ne commencez pas à me chercher des poux dans la tête, monsieur le receveur principal. Je fais mon travail. Et mon travail est d'aller vite, je vous rappelle qu'il y a un cadavre en haut. Je peux faire traîner les choses et vous interroger comme témoins au commissariat. Ça peut prendre du temps. Je peux même vous coller tous les trois en garde à vue. Et vous laisser appeler un avocat demain à midi. Nous sommes d'accord ?

— C'est presque un abus de pouvoir.

— Allez vous faire foutre, monsieur le receveur principal. Bon, merci, Dany. Tu compares, hein ? Au moins sur le couteau. Partout où c'est franc. Vous avez bientôt fini ?

— L'appartement est grand, souffle Dany.

— Forcez bien sur le salon et sur la cuisine.

— Quand même, c'est grand. On est trois. Encore une petite heure, minimum. Plus le temps de ranger le matériel.

— Ne traînez pas.

29

Chez Lubba, les pizzas chauffent.

Ben porte maintenant un survêtement, un T-shirt délavé Machine Head (Vous aimez le hard rock, jeune homme ?) et des chaussures de bateau rouge et vert. Il boirait un coup si on lui offrait, mais il n'ose pas demander. Il ne faut pas exagérer.

Et il se dit que, foutu pour foutu, autant se débarrasser de tout ce qui lui pèse. Le père de Dora a l'air cool et elle est là, toute belle et toute mince dans le fauteuil. Ben décide de tout raconter.

Toute l'histoire. Il commence par son appartement rue Dumenge à la Croix-Rousse. Dommage, je l'aimais bien, même si j'en avais un peu honte, avoue-t-il, puis Rumi, l'agence de location, Pedretti, ce salopard qui lui a fait signer n'importe quoi, son errance dans le quartier en attendant le rendez-vous avec Dora, le malaise de Marthelin (qui est Marthelin ? Explications, l'enfance, comme chez le psy, d'ailleurs il est chez un psy), puis son coup de folie lorsqu'il a rencontré Francine, une grand-mère pour rire, Dora qui ne voulait pas, c'est lui qui a insisté, puis Rumi, le cendrier, j'ai une sacrée bosse (effectivement, un œuf de pigeon sur le front), l'arrivée de la femme. La blonde. Une voisine. Ben raconte tout, dans le détail, sans oublier le voyage à la cave, sa trouille que Rumi en profite pour faire du mal à Dora. Il raconte la folie de Francine, le couteau de cuisine, la femme qui s'écroule, et puis la haine soudaine de Rumi qui veut le tuer, et Rumi qui se penche sur le gros couteau, qui veut l'attraper, qui l'attrape, et lui qui le pousse et... Et Rumi qui tombe, qui tombe, qui s'empale dessus et qui ne bouge plus.

Lubba sent le whisky tournoyer dans son cerveau.

— Il a dû bouger parce que, entre-temps, il a disparu, votre ami Rumi, dit-il.

— Quoi ?

— Quand je suis entré dans la cuisine, il n'était plus là. Envolé. Puiff... Vous l'avez simplement blessé. Enfin, quand je dis simplement...

Ben se lève, fait un pas en avant, un pas en arrière, il ne tient pas en place, il a envie de danser. Il se rassoit. Il est soulagé. Presque heureux. Rumi est vivant ! Un poids en moins sur la poitrine, il se sent léger comme un ballon. Il n'a tué personne...

Alors il se met à sourire, et son sourire en appelle un autre, et puis un autre, et tous ces sourires viennent buter sur le visage de Dora comme des vagues lumineuses. Alors, les yeux dans ses yeux, il raconte Dora à haute voix, leur rencontre, lui avec du gel dans les cheveux dans un habit de soirée loué, elle, la beauté incarnée. Un coup de foudre, monsieur, je vous jure, un vrai choc, là, assure-t-il en frappant son cœur comme les joueurs de tennis, et Dora, belle comme le jour, comme la nuit, comme tout ce qu'il y a de plus beau, elle s'intéresse à lui, elle lui parle, elle parle avec un sous-prolo, tu vois la surprise, excusez-moi, vous imaginez la surprise, voilà, il dit l'amour qu'il a pour elle, immédiatement, il le répète, sa voix chevrote par moments... Ses yeux bleus qui me caressent quand elle me regarde, son léger sourire quand elle se moque un peu de moi et qu'elle m'appelle «biquet», je n'aime pas, mais, chaque fois que j'entends ce mot, il y a aussi une vague de chaleur, je ne sais pas expliquer...

Il ne parle que de Dora, il l'appelle sa chance. Lubba ne dit rien. Impassible. Un vrai psy, putain. Ben continue, il évoque son travail actuel, son vrai métier, je vais en changer, peut-être entreprendre des études si je peux, il revient sur Dora, impossible de s'en éloigner, il raconte qu'il la respecte, qu'il ne veut pas la faire grandir trop vite. Le père associe

sur le sexe. (Vous voulez parler de sexualité, n'est-ce pas ?)
Nom de Dieu ! Ben rougit. Il hoche la tête, c'est pas parce
qu'elle ne me plaît pas, ce n'est pas ça, au contraire, c'est
parce qu'elle est tellement précieuse, je ne veux pas la salir,
je l'aime trop. Il se tourne vers elle et lui dit, les larmes dans
les yeux, je t'aime trop Dora, et Dora baisse les yeux, elle ne
sait plus où se mettre devant son père. Il est cool, heureusement, mais parler de ça devant lui, c'est pire que tout.
N'empêche que son Ben, elle le trouve craquant et super courageux. Oui, il est courageux, Ben, il dit qu'il est dans la pire
des situations mais qu'il est aussi dans la meilleure. Il insiste,
je veux te mériter, ma belle. Je veux vivre avec toi, je n'ai
aucun droit, des types, tu vas en rencontrer des centaines, des
gars de ton milieu, mais tu es trop importante...

— Bon, on bouffe ? dit Hans qui arrive en traînant les
pantoufles.

On dirait qu'il a presque mué entre-temps.

Ben s'arrête de parler. On se regarde. Il est tard.

Les pizzas sont trop cuites et dures comme du contrepla-
qué.

— À force de parler, vous devez avoir soif, dit Lubba,
une petite grimace au coin de l'œil.

— Je boirais bien quelque chose.

— Moi aussi. Dora, s'il te plaît, va voir s'il n'y a pas une
bouteille de vin blanc au frais.

Jan Lubba a un faible pour le vin de Savoie.

L'apparition de la voiture des flics l'a forcé à se remuer.
D'autant qu'il commençait à être pris dans les glaces, Rumi.
Un instant il a pensé laisser tomber. Mais il l'a tâté à travers
sa poche, il n'est pas seul, il a sa lame. Son ya, il l'appelle.

Il a filé vers les jets d'eau immobiles et blancs. Puis, mouvement tournant, il est allé se poster devant les vitrines d'Ha-
bitat, je flâne, tu flânes, c'est le jour ou jamais, abruti. Il a
jeté un coup d'œil rue de la République, les flics ont disparu.
Alors il est revenu se planter devant l'immeuble des Lubba,
la férocité derrière le front qui le fait délirer et imaginer qu'il
va entrer facile et ensuite, oh, ensuite, salopard de Ben, je
vais te foutre mon couteau dans le cul, et ta nana, je vais me

la troncher debout, comme un samouraï. Il ignore ce qu'est vraiment un samouraï. Il a vu le film de Melville, super film, il a bien aimé l'oiseau, mais trop déçu, il pensait que c'était une histoire japonaise. Il aime bien le Japon, il ne sait pas pourquoi.

Rumi soulève son blouson, sa blessure se remet à saigner mais il ne ressent aucune douleur.

Il regarde les plaques. Elles sont par ordre d'étage, c'est partout pareil. En bas, le wedding machin et ainsi de suite. Il fait quelques pas en arrière. Compte. Il y a cinq étages. Plusieurs fenêtres sont allumées, troisième, quatrième et dernier.

Va pour le troisième. Il regarde. Deux noms : Verseau et Morellon.

Essaie Morellon. Qui répond au bout d'une heure, Rumi a les lèvres gelées.

— Oui.

— C'est la police, bredouille Rumi, histoire de se montrer crédible.

— Dégage, crétin, fait Morellon.

Alors il appuie sur Verseau.

— Oui, fait une voix de femme.

— C'est le livreur de pizza, dit Rumi en essayant de ne pas se flanquer par terre tellement il s'agite pour ne pas avoir froid.

— On n'a commandé aucune pizza. Désolée.

Quatrième maintenant. Lubba et Kovac. Comme le chauve de la télé quand il était minot.

— Kghwdpski ? demande une voix.

— Va chier ! hurle Rumi.

Lubba, maintenant. Après on plongera dans l'inconnu du cinquième, il y a plein de noms.

— Ouais.

C'est là. C'est là, le froid lui a donné une clairvoyance biblique. Une voix de gamin a répondu. Un frère de la fille, peut-être. Du coup il sait. Biblique, j'ai dit.

— Ben est là ? il demande.

— Qui c'est, Ben ?

— Le copain de ta sœur.

— Ah ouais.

— Vas-y, ouvre, steplaît.

— Ouais.

— Cool.

Voilà. Facile. Un peu de chance, de la persévérance, de la persuasion et c'est fait. Il est dans l'ascenseur. Heureusement, la glace est petite, car son reflet n'est pas vraiment encourageant.

Rue d'Auvergne, l'interrogatoire se poursuit. Comme les amoureux n'ont pas mangé la quiche d'Isabelle, ils décident de la partager. Mme Kennedy n'en veut pas. Pic, oui, merci, pourquoi pas. Un peu de champagne ? Une goutte, alors.

Francine Kennedy répond aux questions avec bon sens et vivacité. Pic est troublé, la grand-mère a retrouvé calme et raison en occultant totalement les épisodes qui ont eu lieu dans sa cuisine. À moins que le couple ne lui ait raconté des salades, ce que leur physique n'inspire pas. Mais peut-on se fier au physique des gens ? Le lieutenant rumine cette question en grignotant sa quiche. Elle est bonne, pas trop grasse, il y a des sucres lents, c'est parfait. De toute façon, il ne compte pas courir avant la fonte des neiges, au diable les excès.

Francine Kennedy est folle. Pic vient de choisir son camp. Folle ou amnésique. Probablement les deux. À sa place, je serais pareil. Amnésique. Il va falloir la garder au frais, au pire elle finira ses jours dans un hôpital si c'est bien elle qui a tué la femme. Et pour l'autre, celui qui s'est sauvé ? Attendons les empreintes et le psy. Quoique les psy, c'est baratin et compagnie. La nuit n'est pas finie, il se dit.

Rumi se tient debout dans le hall d'entrée. Après lui avoir ouvert la porte, Hans est entré au salon. Il a ramassé les morceaux de pizza qui traînaient sur la table, sa canette, et il est retourné dans sa chambre. En le croisant, Rumi lui a donné une petite tape amicale sur l'épaule.

Lubba est un peu avachi dans le canapé. Les coussins encouragent à la mollesse.

Rumi s'est avancé jusqu'à la porte du salon. Il toise tout le monde avec une moue méprisante, pour un peu, il leur cracherait dessus.

Ben s'est levé.

Dora a rejoint son père.

— Bonsoir, monsieur... Rumi, je suppose ? dit Lubba en regardant ses cheveux.

Il se redresse.

— Quand je vais aux putes, je prends toujours ta mère, affirme Rumi en guise de salutations.

— Très bien, c'est délicat et original comme introduction. Moi, je vais me présenter à l'ancienne. Je m'appelle Jan Lubba, je suis le père de Dora et de Hans, l'adolescent qui vous a innocemment ouvert la porte, et je suis psychothérapeute. Pour simplifier, je suis psychanalyste. J'ajoute que mon épouse Marion va bientôt rentrer de l'Opéra où elle a chanté ce soir. Une œuvre de Bellini dont j'ai oublié le nom.

— Souvent, je choisis ta fille, ajoute Rumi.

Personne ne relève.

Le poids de l'alcool et la brusque chaleur de l'appartement, sans compter une violente envie de chips qui lui tord le ventre juste à hauteur de sa blessure (pour lui, cela signifie simplement qu'il a faim), tout cela fait qu'une bourrasque de sueur lui envahit tout à coup le front et les aisselles. Ce type a un calme... Un psy, merde alors. Une chanteuse. Un monde de dingues, une bande de connards, oui, et l'autre pomme avec son survêt de campeur !

Ben essaie de ne pas trop le regarder. Il s'est rapproché de lui. Prêt à la confrontation une nouvelle fois. Il jette un coup d'œil sur la table, le couteau à découper est là, taché de sauce tomate. Au besoin.

Mais le calme ne convient pas à Rumi. La sérénité d'une famille, cette impression de douceur et de chaleur, tout cela il l'a déjà vécu durant son enfance. Pas de la même façon, mais ce n'était pas si loin. Il pourrait le reconnaître, mais non, il s'y refuse, je suis pas une gonzesse, il pense, on se demande ce que les gonzesses viennent faire ici. Alors il faut qu'il en rajoute une couche.

— Je vous emmerde tous, la chanteuse avec, hurle-t-il.

— Sans doute, dit Lubba, mais il va falloir trouver une solution. Moi, j'en ai une. Dora, veux-tu chercher le numéro de téléphone de M. de la Salle. Celui du troisième étage.

— Du troisième étage ?

— Rue d'Auvergne.

— Ah.

— La merdeuse ne va nulle part et elle cherche rien, fait Rumi en sortant le couteau de sa poche.

Ouvert, fermé clic, ouvert, fermé clic, et ainsi de suite comme d'habitude.

— Vas-y, Dora.

Rumi fait un pas en avant pour l'intercepter, mais elle est plus agile que lui. Dora sort rapidement de la pièce. Il renonce à lui courir après. Il reste, il a mal au ventre tout à coup. Saloperie. Du pied il écarte un fauteuil et il ramasse le couteau à découper. C'est une manie chez lui, pense Ben, ce type ne peut pas voir un couteau sans le ramasser.

Rumi veut en découdre, c'est clair. Il a la haine, elle suinte de ses yeux. Il est pitoyable avec ses dreads collées par la neige et le vent, son visage ravagé par les mauvaises choses qu'il a au fond du crâne.

Il faut en finir, on a dépassé le stade des paroles.

Lubba et Ben se sont écartés l'un de l'autre.

Rumi se tait. Sa lèvre inférieure tremble de plus en plus fort. Il est envahi par une violence telle qu'il bondit sans commander vraiment ses membres. Le voilà sur la table du salon, les pieds dans le plat à pizza. Il ne s'arrête pas, il se jette en avant, un couteau dans chaque main. Il les veut tous les deux, morts, raides. Tout de suite. Terminé leurs conneries de présentation, de chant, de frime de bourges, c'est fini tout ça, vérole de vérole.

Lubba évite facilement le gros couteau qui était destiné à son ventre, mais prend la lame dans le bras, la sauce tomate se mélange rapidement avec le sang. Il parvient à rester debout.

Mais, dans la même seconde, Ben prend le sien en plein ventre, Machine Head se teinte en noir. Il s'écroule.

Tout à coup, une silhouette en chaussons Panthère rose bondit par-dessus le fauteuil écarté par Rumi et balance une batte de base-ball (rapportée de Nike House à New York en août dernier, quarante-neuf dollars quatre-vingt-dix-neuf) sur la tête couverte de tresses.

Rumi est sonné pour le compte et tombe sur le canapé.

Dora arrive, un papier à la main. Elle embrasse la scène en un éclair et se précipite sur Ben qui grimace sur le tapis.

Lubba se lève.

— Merci, Hans.

— C'est marrant, je ne m'en étais jamais servi.

30

Puis, rapidement, l'ambulance des pompiers.

Dora comme garde-malade, attentive, le visage pâle. Ben respire dans un masque et une perfusion est piquée dans son bras. Il a les joues creusées. Dora est très inquiète. Elle lui tient la main. De temps en temps elle la presse. Ben répond de plus en plus mollement. Au-dessus d'elle, le monitoring fait bip bip, et les sinusoïdes se succèdent trop rapidement. Un type en blouse blanche est en train de remplir une seringue et son collègue parle dans un micro.

Hans est assis à l'avant, il discute avec le chauffeur, un balaise porteur d'une énorme moustache. Il pose des tas de questions sur le moteur.

Direction les urgences de l'Hôtel-Dieu, c'est à côté. Dora a gardé dans sa main le bout de papier sur lequel elle a inscrit le numéro de De la Salle.

Il ne servira à rien parce que, en attendant le fourgon, Lubba a fait le 17.

Le flic de permanence a dit bougez pas, on arrive. Lubba a répondu, pas question, il y a deux blessés, on va à l'Hôtel-Dieu. L'autre a insisté. Lubba s'est présenté, a expliqué qui il était, le cadavre de la rue d'Auvergne, tout.

— Vous êtes mêlé à cette affaire ?

— Oui. Comme témoin. C'est moi qui ai découvert le corps. Avec un voisin. J'expliquerai tout.

Le flic ne sait pas bien quelle suite donner à cette affaire.

— Bon. J'ai tout noté, nom, adresse. Vous allez à l'hôpital.

— Oui. Attendez, avant de raccrocher, il faut que vous sachiez qu'il y a un homme chez nous. Un type dangereux. Il a blessé plusieurs personnes. Je suis un des blessés. Mon fils l'a assommé et nous l'avons neutralisé comme nous avons pu.

— C'est quoi, ce roman ?

— La vérité.

— Admettons. Qu'est-ce que vous appelez « neutralisé » ?

— Ficelé. Mains et pieds avec du scotch de déménageur. Attaché au canapé. Loin du téléphone.

— Hum... Bon. J'appelle mes collègues.

— Dès que je suis recousu, je reviens chez moi.

— Vous croyez ?

— Oui, oui. Ne vous en faites pas, j'ai l'habitude.

Lubba se surprend. Pourquoi a-t-il dit qu'il avait l'habitude ? C'est la première fois qu'il est blessé par une arme blanche.

La comparaison rapide des empreintes a permis de découvrir deux types différents. Des empreintes inconnues, assez larges, et celles de Mme Kennedy, superposées aux premières sur le manche du couteau à découper. Elle s'en est donc servie après. Le curieux, c'est qu'on retrouve sur la lame les premières empreintes, comme si l'homme (c'est un homme aux doigts épais) avait aussi manipulé le couteau par la lame. Donc deux fois, une fois par le manche, une fois par la lame. Un original. En tout cas, c'est clair sur le gros plan de l'appareil numérique.

Dany le technicien ajoute :

— Plein de trucs ont été nettoyés. Assez soigneusement. Quelqu'un a fait le ménage. On n'a trouvé que deux types d'empreintes exploitables. À part celles de la grand-mère, bien entendu, mais c'est normal. Un homme et une femme.

Les deux hommes sont dans le couloir de De la Salle. Ils parlent à mi-voix.

— De toute façon, on vérifiera quand on aura le type, continue Dany.

— Et son couteau. Il y a ce Ben..., murmure Pic.

— Quoi ?

— Ben, le jeune homme dont la grand-mère a parlé.

— On le trouvera. On trouve toujours tout, tu le sais bien.

— Merci de ton optimisme, Dany. Le légiste est venu ?

— Oui.

— Qu'est-ce qu'il a dit ?

— La femme est morte sur le coup. Elle a été frappée entre la troisième et la quatrième côte juste à gauche du sternum. On se demande comment. En position debout c'est quasiment impossible, la lame aurait buté sur une côte. Elle devait être penchée en arrière, bien cambrée, c'est la seule possibilité. Mort immédiate. Un coup de hasard. Il vérifiera à l'autopsie. Le corps est parti à la morgue.

— Bien. Et le chapeau blanc, qu'est-ce que tu en penses ?

— Un vieux truc. Tout mité. Il a une étiquette en allemand. Il devait appartenir au mari.

— Il est mort en 74, le mari.

— Peut-être qu'elle le ressort de temps en temps pour penser à lui, pour fêter un anniversaire, un truc comme ça ?

— Comme le couple à côté qui bouffait des homards en buvant du champagne.

— Va savoir.

Le lieutenant réfléchit un instant.

— À propos, qu'est-ce qu'on fait d'elle ? On ne peut pas la laisser ici, ni dans son appartement, c'est dans un état minable.

— À toi de décider. Moi, je suis du labo et je ne vais pas l'emmener chez moi.

Pic réfléchit quelques secondes et rentre dans la cuisine, une carte à la main qu'il tend à Ernest.

— Tous les deux, rendez-vous dans nos bureaux, place Carnot, demain à 14 heures pour enregistrer vos dépositions. Vous me demanderez, je serai peut-être encore là. Sinon, vous verrez un autre officier de police.

— Et pour les Boussac ? demande Ernest.

Silence.

Pic allait dire « Quels Boussac ? », mais il se reprend à temps.

— Je vais aller les voir. Je dois...

Il ne sait plus où il en est, cette affaire lui pose problème sur problème, cette grand-mère...

Il se penche vers Francine.

— Madame Kennedy, vous allez venir avec moi. Vous irez habiter à l'hôtel pendant quelques jours. Je ne peux pas vous laisser dans cet appartement.

— Qu'est-ce que vous racontez ?

— Je vous dis que vous allez...

Son téléphone portable sonne un mambo.

— Oui ?

Il écoute un long moment, ponctuant de «oui» le discours de son correspondant. Finalement, c'est Pic qui conclut :

— Tu as son adresse ? J'espère que ce n'est pas du flan... Bon, on se retrouve là-bas.

Il a fallu appeler une fliquette qui revient de congé maternité pour prendre en charge Francine Kennedy, c'est tout à fait ce qu'il faut à une grand-mère. Puis l'attendre.

— Nadia, tu accompagnes madame à l'hôtel social. Elle ne sort pas de sa chambre sans mon accord, je compte sur toi. Garde à vue adaptée. OK ?

— OK, a dit Nadia en prenant le bras de la vieille femme.

Bien plus tard, Pic et deux bleus s'arrêtent enfin devant le Printemps. À pied, ils auraient fait plus vite. Pic descend le premier. Il souffle dans ses doigts, partout la neige, c'est tout blanc. Il a envie d'aller se coucher.

En face, la porte de l'immeuble des Lubba est ouverte. Poinaud, emmitouflé comme une momie, émerge du noir.

— Tu es là ?

— Je vais y laisser ma peau, ce soir, dit Poinaud.

Pic s'en fout. Il ne fait que se plaindre, Poinaud, il est toujours malade, ce mec. À sa place, j'aurais choisi les cartes grises.

— On y va ?

— Le type est rentré chez lui. C'est au quatrième.

— Les salades, c'est toujours au quatrième, conclut Pic en entrant dans l'ascenseur.

Il y a des personnes qui gardent leur sang-froid en toutes circonstances. Pic va en faire l'expérience.

La porte s'ouvre. Un type «sérieux, maigre, les cheveux un peu longs, gris, les yeux bleus, un regard vif, intelligent, quoi», avait dit la copine du postier. Tout à fait ça. Il porte sur son bras gauche un pansement qui déborde de la manche de son T-shirt.

Le psy. Une femme solide, brune, la coiffure aérienne, se tient à côté de lui.

— Je suis Jan Lubba dit Lubba. Voici ma femme Marion. Elle est soprano. Elle vient de rentrer de l'Opéra. Mon fils Hans est dans sa chambre et...

— Oh, bonsoir ! dit-elle en souriant et en levant le menton.

Bonsoir, madame, font les flics. Paillasson, vas-y, on va tout vous saloper.

Pic se racle la gorge et Poinaud éternue.

— Une soirée un peu fraîche, n'est-ce pas ? dit madame Lubba, la main sur le cou. (Un instant Pic craint qu'elle ne se mette à chanter.) Demain soir, nous donnons Verdi.

— Bien. Verdi. Bien. Moi, c'est Pic. Lieutenant Pic.

Il se tourne à moitié et désigne son collègue.

— Poinaud.

Qui baisse simplement la tête.

Pic continue :

— Vous êtes le thérapeute qui cherchait sa fille et qui a découvert le corps de cette femme rue d'Auvergne, n'est-ce pas ?

— Exactement, fait Lubba. Je n'étais pas tout seul. J'étais avec un homme âgé. Ernest quelque chose, je ne me souviens plus de son nom. Un nom à particule. Un homme charmant.

— De la Salle.

— Tout à fait.

Dialogue très urbain, entre la mondialisation et le bilan carbone de la nouvelle Fiat 500. Mais il a dû picoler, le psy, pense Pic, son haleine le dit clairement. Ses yeux rouges aussi.

Sur le même ton, Lubba continue, montrant son bras :

— Je reviens juste de l'Hôtel-Dieu. Trois points de suture, ce n'était rien du tout. Ma fille Dora va bien. Elle est restée là-bas au chevet de son... comment dire ? Bref, elle est restée là-bas. Ils vont l'opérer dans la nuit. Il s'en sortira, il est jeune. Mais impossible de la faire revenir avec nous. Entrez, messieurs, votre client vous attend, conclut le psy en montrant la porte du salon.

De loin Pic fixe le type saucissonné sur le canapé. Le visage écrasé sur le cuir, il roule des yeux mauvais. Une minitresse lui tombe sur l'œil. Encore un malin.

— Voilà notre héros, fait le policier en s'affalant dans un fauteuil.

Poinaud reste debout à renifler.

Ensuite, les palabres. Les explications, plus ou moins vraies, il l'a bien senti. Le psy s'y entend pour noyer le poisson. Ce sont des lunaires, ces gens. Impalpables, fuyants. Sympas, en plus. Cool. Mais lunaires.

Pic se frotte les yeux. Il se sent complètement épuisé.

Au final, le bilan est lumineux, de quoi se plaint-il ? Trop lumineux, peut-être ? L'affaire du 7, rue d'Auvergne est résolue. Un meurtre. Francine Kennedy. Moment de démence sénile. Alzheimer aigu. Plus trois blessés, deux légers, un grave. Et ce type, là, avec ses cheveux à la ramasse. Quand il pense au travail qui l'attend, Pic se sent découragé. D'abord, emmener le boutonneux à l'hôpital (Ce Rumi, il a un nom ?), à voir les yeux qu'il roule, il l'air de se porter comme un charme. En profiter pour interroger l'autre, le Ben. Le fameux Ben. La fille, Dora qui est à son chevet. Quinze ans, a dit la maman. Bien jeune pour être mêlée à une histoire pareille, ça promet. Il pense à sa petite Chloé, trois ans et demi, qui doit être en train de dormir et de rêver à son papounet chéri. Ne me fais jamais ça, mon puceron, promets-le-moi, s'il te plaît.

Hans. Le fils, ça a été vite fait.

— Un vrai pain, je lui ai mis.

— Pourquoi ? Pic a demandé.

— Parce qu'il fallait. Il allait les achever, à tous les coups.

Toc. Pas faux, a songé Pic sans le dire. Le gamin est parti se coucher. On verra les suites plus tard.

Et puis il reste la famille Boussac à qui il faudra annoncer la mort d'une épouse et d'une mère. Pour bien faire, cette nuit, ce serait bien. Attendre plus longtemps serait à la limite de la faute professionnelle.

Ensuite, demain matin, il y aura une vieille femme de quatre-vingts ans à présenter au juge. Avec un mandat de dépôt à la clé, probablement. Le commissaire décidera quoi faire, c'est son boulot de décider. Pour l'instant il faut qu'il avertisse le magistrat de permanence.

La gorge le picote, tiens, début d'angine comme Poinaud ? Il n'y a pas de raison. Ou alors c'est qu'il a envie de chanter.

Il se lève, sort son portable et va téléphoner au juge dans le couloir.

— Si la vérité est conforme aux éléments que vous avez rassemblés, pour Mme Kennedy l'hôtel social est une solution médiane, conclut le magistrat. Un placement d'office en hôpital psychiatrique aurait été judiciairement préférable, mais compte tenu de son âge... des difficultés de circulation, vous avez fait pour le mieux. Vous noterez tout ça dans votre rapport, lieutenant.

Parce qu'il y a aussi les rapports. Pic revient dans la pièce. Il a sommeil. Il en est à sa troisième nuit de service et il a mal dormi ce matin. Il a été réveillé dans son premier sommeil. Pour la énième fois son père venait de se faire flasher à la sortie du tunnel de la Croix-Rousse. Rien à faire, papa, désolé.

Le regard que lui lance le type allongé sur le canapé est un mélange de trouille et d'agressivité. Dans le doute, on va le laisser comme ça.

— Alors, mon gars, avant de t'emmener à l'hosto, dis-moi un truc. Avec tes cheveux de bouffon, t'es un punk, un rasta ou simplement un crétin ?

Épilogue

Quelques nouvelles pour finir, cette journée de lundi a été bien chargée.

Benjamin, pour commencer. Il a reçu la moitié de la lame dans l'abdomen, mais rien de vital n'a été touché. Quatre heures d'opération tout de même et un morceau d'intestin en moins. À son réveil, une déesse aux yeux cernés était penchée sur lui. Il se rendort, un petit sourire aux lèvres. Il rêve de paradis.

La famille Boussac, un peu explosée du vivant de Marie-Cécile, se resserra après sa mort. Après avoir sonné longuement, Pic réussit à les réveiller, cette nuit-là. L'officier de police judiciaire annonça la nouvelle à un homme hirsute empestant l'alcool et à une punkette abrutie de sommeil et de cannabis. Ils mirent du temps à comprendre.

Ensuite, ils pleurèrent longtemps dans les bras l'un de l'autre.

Une semaine plus tard, Aurélie fit son sac. Son père l'accompagna à la gare. Elle partait rejoindre sa sœur aînée dans le Bordelais.

Une fois seul, M. Boussac resta quinze jours sans sortir. Pendant ce temps, il vida systématiquement toutes les bouteilles d'alcool de l'appartement et il réfléchit beaucoup. Finalement il décida de vendre les parts de son affaire de courtage. Il partit lui aussi dans le Bordelais.

Ernest de la Salle et Isabelle décidèrent que les événements tragiques qu'ils avaient partagés avaient apporté une sorte de légitimité à leur union. Autant vivre ensemble, se dirent-ils. Dans le péché. Parfaitement.

Étienne, l'écrivain vendeur alimentaire, resta dans son grenier. Un mois plus tard, il y eut une panne d'ascenseur. Isabelle le rencontra dans l'escalier. Entre le troisième et le rez-de-chaussée, elle eut le temps de lui faire tous les reproches que son père ne lui avait jamais faits et elle conclut. «Si je te revois dans l'immeuble, je te fais la peau.»

Au 7, rue d'Auvergne, cette promesse n'était certainement pas une parole en l'air.

Francine Kennedy ne resta qu'une nuit à l'hôtel social. Personne n'eut à prendre de décision et le lieutenant Pic en fut soulagé. Au matin la vieille femme fut retrouvée morte dans son sommeil, le visage lisse et tranquille.

Fin de la procédure.

Ruminator I fut condamné en correctionnelle à trois ans de prison ferme pour violences et tentatives de meurtre. C'était une sanction assez clémente. Mal conseillé par son avocat, il fit appel de la sentence. Il fut rejugé huit mois plus tard et la peine fut rallongée de un an à cause de sa conduite irrévérencieuse et insultante durant les débats.

Quatre ans, pour une première affaire, c'est pas si mal.

*

Le chemin fut long. Ensuite, il fallut trouver un lieu pour se reposer.

Il le trouva. Il put enfin déposer son fardeau et se redresser.

Autour d'eux le paysage restait indistinct...

Effacer les traces de la tourmente qui s'étaient abattue sur eux. Une flèche traversant la brume... C'était cela le plus difficile. Dans sa tête, le vent soufflait toujours avec rage, pluie et neige se donnaient le mot pour masquer toutes les tentatives de lueur. À chaque instant surgissait comme une tempête un nouveau souvenir. Il fallait l'écouter avec soin, le replacer calmement dans le contexte du moment en attendant le suivant, rebâtir ruine après ruine.

Freud savait écouter.

Il avait appris.

Elle savait parler.

Elle n'avait jamais appris, mais les femmes ont cette particularité de savoir parler naturellement.

Et puis, un jour, tout changea.

D'abord Freud eut mal.

Une flèche traversant la brume fait parfois terriblement souffrir.

Il découvrit aussi quelques taches de sang sur la manche de son costume. Il se demanda d'ailleurs comment il avait fait pour ne pas les voir avant. Sans doute était-il trop angoissé pour saisir cette réalité-là ou trop occupé à prendre soin de... Il se souvint de tout, ce qui donna l'occasion au tablier sanglant du boucher Tannersmich de revenir plusieurs fois parasiter ses pensées, mais Freud s'en débarrassa assez rapidement et le renvoya à son passé.

Donc il eut mal. Puis, insensiblement, la douleur s'estompa.

Les taches de sang devinrent plus sombres et séchèrent.

Alors il put l'observer sans trembler.

Maricé était de plus en plus belle. Son corps s'était redressé. Elle avait appris à sourire. Et elle ne s'en privait pas, ce qui la rendait bien séduisante.

Un jour, ce fut pourtant le moment.

Il le lui annonça tranquillement.

— Notre aventure va s'achever, Maricé, vous voilà complètement vivante.

— Vous croyez ?

— Mais oui.

Il se tut un instant et ajouta :

— Vivante comme une idée peut l'être, une de ces idées sur lesquelles on peut s'appuyer et rendre le monde plus doux. Vous savez, il y a tellement de façons d'être vivant. Vous avez choisi la meilleure. Je partage votre choix, d'ailleurs, même si pour moi il est un peu tard.

— Un peu tard ? demanda Maricé.

— Oui.

Elle comprit et ne répondit pas, en espérant que les choses restent toujours aussi simples.

Après un silence, elle proposa qu'ils fassent ensemble une dernière promenade et qu'ils se quittent aimablement.

Elle dit « aimablement ».

Ils marchèrent dans un parc du centre-ville.

Puis ils s'installèrent sur un banc face au lac.

Dans le soleil, Freud remarqua que la chevelure blonde de Maricé était aujourd'hui parsemée de nombreux fils gris que le vent agitait doucement. Il trouva que cette nouvelle coiffure était plutôt une réussite.

— Alors ? fit-il après un petit silence.

— Il faut que je vous remercie, Sigmund. Je peux vous appeler comme cela, n'est-ce pas ?

— Mais oui.

— Merci pour ce que vous avez fait pour moi.

— Mais je...

— Vous savez, depuis longtemps j'avais l'impression d'être passée à côté de ma vie. Je me suis mariée sans trop réfléchir, j'ai eu deux filles très rapidement. Puis Aurélie, par surprise...

— Oui... Ce sont les petits secrets des couples, dit Freud en souriant.

— J'ai fait assez peu d'études, je ne suis pas très cultivée. Je n'ai jamais vraiment travaillé, ou alors dans des emplois ennuyeux. Je n'ai été utile qu'à très peu de gens, alors que vous...

— Ne croyez pas tout ce que l'on dit de moi !

— Je ne crois rien. C'est simplement...

Elle regarda le lac. Au loin, une barque glissait sous le soleil, le rameur s'activait, sans doute souriait-il parce qu'il avait les yeux fixés sur la jeune fille qui, à l'avant du bateau, semblait caresser l'eau de sa main. L'air était si paisible.

Maricé se tourna vers lui :

— Je sais aujourd'hui que j'étais capable de mieux. (Il hocha la tête.) Je me suis tellement traitée de tous les noms... Je sais aussi qu'il est inutile de revenir en arrière, mais, maintenant que mes filles n'ont plus besoin de moi, enfin presque plus, je vais essayer de faire quelque chose de bien. Apprendre, être curieuse, devenir intelligente. Peut-être m'occuper des autres. Aider les gens...

— Oh..., murmura-t-il.

— Je ne sais pas encore dans quelle direction je vais me diriger. J'ai plusieurs possibilités. Il va falloir que je fasse le bon choix et que je le fasse seule. Peut-être vais-je m'inspirer de vous ?

Comme il ouvrait la bouche, Maricé le fit taire de la main et dit :

— Ne dites rien. Puisque c'est la dernière fois que nous sommes ensemble, je voulais vous faire un cadeau.

Elle lui tendit un paquet. Il rougit légèrement et l'ouvrit. C'était une boîte de petits cigares, ceux qu'il avait l'habitude de fumer.

Il la remercia chaleureusement.

— Ce n'est rien, fit-elle. Il y a aussi des allumettes !

Elle rit.

— En échange, vous savez ce qui me ferait plaisir ?

— Je vous écoute.

Il y eut un silence. Maricé y était habituée.

Elle montra de la main une buvette non loin de là.

— Offrez-moi une limonade, s'il vous plaît, Sigmund, cela me rappelle tellement de souvenirs.

— De bons souvenirs, j'espère.

— Toutes sortes de souvenirs.

Plus tard, alors que le soleil d'ouest faisait taire le vent, ils se séparèrent dans un dernier sourire.

Au bout de quelques mètres, Freud se retourna. La silhouette de Maricé allongeait son ombre vers lui comme si elle ne voulait pas le quitter. Il se sentait très ému, au bord des larmes. Ce matin – ou était-ce un autre matin ? –, il s'était levé, il avait refait les gestes des vivants et il avait même trouvé un costume blanc qu'il ne se souvenait pas avoir un jour porté. Comme c'était curieux. Il s'était alors senti prêt.

Finalement, il l'avait été.

Il restait seulement ces petites taches rouges sur sa manche.

La photocomposition de cet ouvrage
a été réalisée par
GRAPHIC HAINAUT
59163 Condé-sur-l'Escaut

*Cet ouvrage
a été achevé d'imprimer sur Roto-Page
par l'Imprimerie Floch à Mayenne
pour le compte des Éditions Plon
76, rue Bonaparte
Paris 6ᵉ
en avril 2012*

Imprimé en France
Dépôt légal : mai 2012 – N° d'édition : 14843
N° d'impression : 82271